101 DELICIAS DE CHOCOLATE

Título original: *101 Chocolate Treats*

Primera publicación por BBC Books, un sello de Ebury Publishing,
una división de Random House Group Ltd, 2007

Todas las recetas incluidas en este libro aparecieron por primera vez
en *BBC Good Food Magazine.*

Editora: Nicky Ross
Editora de proyecto: Helena Caldon
Diseño: Kathryn Gammon
Producción: Katharine Hockley

Fotocomposición: Compaginem

ISBN: 978-84-253-4275-2

Impreso en Gráficas 94, S. L.
Sant Quirze del Vallès (Barcelona)

Depósito legal: B. 48.213-2008

GR 42752

101 DELICIAS DE CHOCOLATE

Jeni Wright

Grijalbo

Sumario

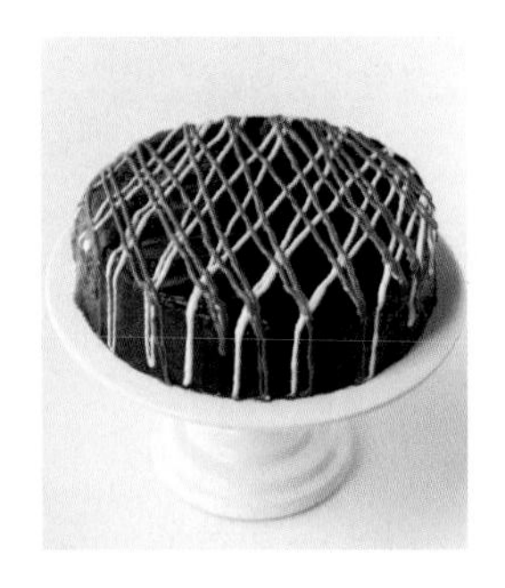

Introducción

¿Quién no disfruta comiendo chocolate? Es obvio que en *BBC Food Magazine* nos gusta a todos... y creemos que a ti también. En este volumen ilustrado que contiene unas cien recetas —en las que el ingrediente estrella es el chocolate— observarás que hay una receta para cada ocasión. Aparecen postres para los adictos al chocolate, quienes siempre tienen una buena excusa para satisfacer su deseo, o para quienes se permiten un lujo en ocasiones especiales.

En este libro aparecen pasteles y galletas estimulantes y sencillos de preparar, además de una gran variedad de postres deslumbrantes para cenas íntimas o entre amigos. También hay un apartado de repostería de chocolate caliente (el máximo capricho que te puedes dar); y, en caso de que no dispongas de tiempo, puedes acudir al apartado de postres sencillos y rápidos, cuya preparación no es superior a treinta minutos. En último lugar, pero no por ello menos importante, no olvides las delicias que aparecen en la última sección: todos nos merecemos un capricho de vez en cuando.

Como es costumbre, hemos elaborado previamente cada una de las recetas de este libro para asegurarnos de su resultado; estas, además, están acompañadas de sus propiedades nutricionales para que puedas valorar sus beneficios para la salud. Si el número de calorías es alto, recuerda: ¡darte un capricho hará que te sientas bien, así como usar chocolate de primera calidad!

Jeni Wright
BBC Good Food Magazine

Tablas de conversión

NOTAS SOBRE LAS RECETAS

- Si en la receta no se especifica lo contrario, los huevos siempre serán medianos.
- Lavar bien todos los productos antes de su preparación.
- Las recetas aportan un análisis nutricional del contenido de «azúcar»: el total del azúcar natural que contienen los alimentos y el «azúcar añadido», que es el azúcar que se agrega a la receta.

TEMPERATURA DEL HORNO

Gas	°C	°C convección	Tempetura
¼	110	90	Muy fría
½	120	100	Muy fría
1	140	120	Fría o suave
2	150	130	Fría o suave
3	160	140	Tibia
4	180	160	Moderada
5	190	170	Un poco caliente
6	200	180	Bastante caliente
7	220	200	Caliente
8	230	210	Muy caliente
9	240	220	Muy caliente

MEDIDAS DE LAS CUCHARADAS

- Las cucharadas serán rasas, salvo indicación contraria.
- 1 cucharadita = 5 ml
- 1 cucharada = 15 ml

RECETAS

Un pastel de chocolate con café riquísimo y sofisticado que te enloquecerá.

Pastel de avellanas y moca

150 g de chocolate negro troceado
4 cucharadas de café solo
175 g de mantequilla
175 g de azúcar extrafino
5 huevos grandes ligeramente batidos
100 g de avellanas molidas
100 g de harina con levadura tamizada con 1 cucharadita de levadura

PARA EL RELLENO
100 g de chocolate negro, troceado
50 g de mantequilla, cortada en dados
3 cucharadas de café solo
4 cucharadas de nata líquida
50 g de azúcar glasé, tamizado
50 g de avellanas tostadas, ligeramente cortadas en pedacitos

1 hora 30 minutos, más el tiempo de enfriarse y refrigerarlo
• 12 porciones

1 Precalentar el horno a 180 °C. Engrasar y revestir un molde redondo de 20 cm. Mezclar el chocolate con el café.

2 Batir la mantequilla con el azúcar. Batir ligeramente los huevos, añadir el chocolate, las avellanas y la harina, y unirlos con una cuchara. Hornearlo de 45 a 55 minutos. Dejar enfriar 5 minutos y retirar para que acabe de enfriarse.

3 Para el relleno, calentar en un cazo a fuego lento el chocolate, la mantequilla, el café y la nata, y remover hasta conseguir una consistencia homogénea. Retirar del fuego, espolvorear el azúcar glasé y remover. Dejar enfriar y poner en el refrigerador 1 o 2 horas, agitando de vez en cuando, hasta obtener la consistencia necesaria para extenderla.

4 Cortar el pastel, rellenarlo con el chocolate y las avellanas, y cubrirlo con el resto.

• Cada porción contiene: 492 kcal, 7 g de proteínas, 40 g de carbohidratos, 35 g de grasa, 16 g de grasas saturadas, 2 g de fibra, 33 g de azúcar añadido, 0,59 g de sal.

Un pastel sencillo pero contundente que puede servirse como un postre exquisito.

Pastel de cerezas bañadas en chocolate

150 g de chocolate con leche
175 g de harina con levadura tamizada con 1 cucharadita de levadura
140 g de azúcar rubio extrafino
140 g de mantequilla
3 huevos grandes
3 cucharadas de leche
1 plátano maduro, pelado y machacado

PARA LA COBERTURA
450 g de cerezas, la mitad sin hueso y partidas por la mitad
225 g de chocolate blanco fundido
150 ml de nata líquida

1 hora 15 minutos, más el tiempo de enfriarse • 10 porciones generosas

1 Precalentar el horno a 180 °C. Engrasar y revestir dos moldes para sándwich. Rallar dos tercios del chocolate con leche, y trocear el resto.
2 Batir la harina, el azúcar, la mantequilla, los huevos y la leche hasta obtener una masa ligera, y añadir el chocolate y el plátano. Dividir la mezcla entre los moldes y hornear 25-30 minutos, hasta tener una masa esponjosa. Dejar enfriar 5 minutos y desmoldarlo para que se enfríe del todo.
3 Sumergir las cerezas hasta la mitad en el chocolate blanco fundido, colocarlas en una bandeja revestida con papel de aluminio. Verter la nata líquida en el chocolate blanco restante y dejar enfriar. Unir la mezcla restante en un cuenco con las cerezas partidas.
4 Rellenar los bizcochos con la crema de chocolate blanco y cerezas, y decorarlos con la crema restante.

• Cada porción contiene: 501 kcal, 8 g de proteínas, 55 g de carbohidratos, 29 g de grasa, 14 g de grasas saturadas, 1 g de fibra, 31 g de azúcar añadido, 0,77 g de sal.

Un pastel pensado para los amantes del chocolate.

Pasión de chocolate

225 g de chocolate negro (con 60 % de cacao) troceado
200 g de mantequilla, cortada en dados
1 cucharada de café granulado instantáneo
85 g de harina con levadura
85 g de harina
¼ de gasificante para bollería
200 g de azúcar mascabado claro
200 g de azúcar extrafino
25 g de cacao en polvo
3 huevos medianos batidos
5 cucharadas de leche
virutas de chocolate para decorar

PARA LA GANACHÉ
284 ml de nata líquida
2 cucharadas de azúcar extrafino
225 g de chocolate negro, troceado

2 horas, más el tiempo de enfriarse
• 14 porciones

1 Precalentar el horno a 160 °C. Engrasar y revestir un molde. Mezclar el chocolate, la mantequilla, el café y 125 ml de agua.
2 Combinar las distintas harinas, los azúcares, el gasificante y el cacao. Batir los huevos con la leche. Añadir el chocolate y los huevos en la harina, y remover con movimientos envolventes hasta tener una crema. Volcarla en el molde y hornearla hasta que la parte superior esté firme. Dejar enfriar, desmoldar y, cuando esté fría, cortarla en tres capas.
3 Para la ganaché, colocar el chocolate en un cuenco y calentar en una cazuela la nata y el azúcar. Verter la nata y el azúcar sobre el chocolate y mezclar.
4 Extender la ganaché sobre las capas y sobre el pastel, y decorar con virutas de chocolate.

• Cada porción contiene: 541 kcal, 6 g de proteínas, 55 g de carbohidratos, 35 g de grasa, 20 g de grasas saturadas, 2 g de fibra, 40 g de azúcar añadido, 0,51 g de sal.

¡Una delicia sencilla para acompañar el café, que pueden saborear los niños, quienes disfrutan ayudando a prepararla!

Pastelitos de chocolate de Semana Santa

PARA LOS PASTELITOS
140 g de mantequilla ablandada
140 g de azúcar extrafino
3 huevos
100 g de harina con levadura
25 g de cacao en polvo tamizado

PARA LA DECORACIÓN
85 g de chocolate con leche troceado
85 g de mantequilla ablandada
140 g de azúcar glasé, tamizada
70 g de chocolate blanco Maltesers (bolitas de chocolate blanco)
huevos de chocolate pequeños envueltos en papel de aluminio

30 minutos, más el tiempo de enfriarse
• 16 pastelitos

1 Precalentar el horno a 190 ºC. Colocar 16 vasitos de papel en una bandeja para hornear.
2 Incorporar todos los ingredientes de los pastelitos en un recipiente y batirlos con una batidora eléctrica 2 minutos, hasta tener una consistencia suave. Rellenar con la masa la tercera parte de los vasitos y cocer hasta que haya subido. Dejar enfriar.
3 Deshacer el chocolate con leche al baño María (o al microondas a temperatura máxima 1 minuto). Batir la mantequilla, el azúcar glasé y el chocolate fundido, para conseguir un ligero glaseado. Extender sobre los pastelitos y decorar con las bolitas de chocolate blanco y los huevos de chocolate.

• Cada pastelito contiene: 274 kcal, 3 g de proteínas, 31 g de carbohidratos, 16 g de grasa, 9 g de grasas saturadas, 1 g de fibra, 25 g de azúcar añadido, 0,43 g de sal.

Una tarta de chocolate deliciosa apta solo para golosos y un postre sublime para agradar a los invitados más sibaritas.

Sublime tarta de trufa

250 g de chocolate negro troceado
2 cucharadas de almíbar dorado
560 ml de nata líquida
4 cucharaditas de café instantáneo,
 disuelto en agua caliente y frío
1 cucharadita de canela molida
cacao en polvo para decorar

50-60 minutos, más el tiempo de enfriarse • 12 porciones pequeñas

1 Cubrir un molde desmontable con film y alisarlo hasta que no queden pliegues. Fundir el chocolate en el almíbar y en una cuarta parte de la nata líquida, y dejar enfriar.
2 En un recipiente grande, batir la nata restante con el café y la canela hasta que adquiera consistencia. Incorporar la mezcla de chocolate. Verterla en el molde y nivelar la superficie. Refrigerar una hora o toda la noche.
3 Desmoldar y quitar el film de los bordes. Colocar un plato y voltear. Retirar la base del molde y el film. Decorar con el cacao en polvo y servir en porciones pequeñas.

• Cada porción contiene: 331 kcal, 2 g de proteínas, 17 g de carbohidratos, 29 g de grasa, 18 g de grasas saturadas, 1 g de fibra, 15 g de azúcar añadido, 0,09 g de sal.

La naranja combina maravillosamente con el chocolate negro, por el toque de acidez que adquiere.

Pastel de chocolate negro con naranja

1 naranja
3 huevos grandes
280 g de azúcar extrafino
240 g de aceite de girasol
100 g de chocolate negro, fundido y enfriado
250 g de harina
25 g de cacao en polvo
1 ½ cucharaditas de levadura
corteza de naranja confitada para decorar

PARA LA GANACHÉ
225 ml de nata líquida
225 g de chocolate negro, troceado

2 horas, más el tiempo de enfriarse • 10 porciones

1 Agujerear la naranja con un pincho y cocerla en agua hirviendo durante 30 minutos, hasta que esté blanda. Escurrirla y procesarla en un robot de cocina hasta hacer un puré fino.
2 Precalentar el horno a 180 °C. Engrasar y revestir un molde redondo de 23 cm.
3 Batir los huevos, el azúcar y el aceite. Añadir poco a poco el puré de naranja e ir batiendo; agregar el chocolate. Tamizar la harina, el cacao y la levadura, y mezclar con el resto de ingredientes. Ponerlo en el molde y hornear hasta que esté esponjosa. Dejarlo enfriar 10 minutos y voltearlo para que se enfríe.
4 Hervir la nata y verterla en un cuenco sobre el chocolate. Dejar reposar durante 2 minutos, remover hasta tener una consistencia uniforme y dejar reposar de nuevo 1 hora 30 minutos. Repartir la ganaché sobre el pastel. Decorar con la ganaché y la corteza de naranja.

• Cada porción contiene: 703 kcal, 7 g de proteínas, 73 g de carbohidratos, 45 g de grasa, 16 g de grasas saturadas, 2 g de fibra, 51 g de azúcar añadido, 0,42 g de sal.

Con estas apetitosas magdalenas, los niños disfrutarán de la festividad de Halloween.

Búhos de Halloween

PARA LOS PASTELITOS
280 g de mantequilla ablandada
280 g de azúcar rubio extrafino
200 g de harina con levadura, retirar una cucharada colmada
1 cucharada de cacao en polvo
6 huevos medianos

PARA LA DECORACIÓN
200 g de mantequilla ablandada
280 g de azúcar glasé tamizado
naranja glaseada lista para usar
1 paquete pequeño de Maltesers (bolitas de chocolate)
botones de chocolate
caramelos de goma (solo los de color naranja)

45 minutos, más el tiempo de enfriarse
• 12 pastelitos

1 Precalentar el horno a 190 ºC. Forrar un molde para magdalenas con 12 cavidades con vasitos de papel rizado oscuros. Batir los ingredientes de los pastelitos hasta obtener una pasta ligera, y rellenar los vasitos casi hasta arriba. Cocer 20-25 minutos, hasta que hayan subido y estén esponjosos. Dejar enfriar.
2 Batir la mantequilla y el azúcar glasé. Cortar la parte superior de cada pastelito, partirlo por la mitad y añadir a cada uno una capa de mantequilla con azúcar.
3 Poner encima de cada Maltesers un trozo pequeño de naranja glaseada y fijarla con un M&M marrón. Para simular la cara de un búho, poner sobre la mantequilla dos Maltesers y dos trozos de pastelito cortados (con el extremo curvado hacia arriba) y un caramelo de goma, que representarán los ojos.

• Cada porción contiene: 615 kcal, 6 g de proteínas, 68 g de carbohidratos, 38 g de grasa, 23 g de grasas saturadas, 1 g de fibra, 54 g de azúcar añadido, 1,06 g de sal.

Es un pastel exquisito con unas líneas diagonales de chocolate blanco y negro.

Pastel decorado con chocolate blanco y negro

140 g de chocolate negro (con 70 % de cacao sólido), troceado
100 g de mantequilla cortada en dados
6 huevos grandes, separadas las claras de las yemas
140 g de almendras molidas
85 g de azúcar rubio extrafino

PARA LA GANACHÉ
225 g de chocolate negro (con 70 % de cacao sólido), troceado
200 ml de nata líquida
25 g de mantequilla ablandada

PARA LA DECORACIÓN
50 g de chocolate con leche, fundido
50 g de chocolate blanco, fundido

1 hora 20 minutos, más el tiempo de enfriarse • 12 porciones

1 Precalentar el horno a 170 °C. Engrasar y revestir un molde de 20 cm. Fundir el chocolate y la mantequilla, hasta lograr una crema. Enfriar 5 minutos. Agregar las yemas y las almendras.
2 Batir la claras a punto de nieve, incorporar gradualmente el azúcar y llevar a punto de nieve firme. Agregar 1 cucharada colmada de clara de huevo en el chocolate y mezclar. Volcar en el molde y hornear 30-35 minutos, hasta que la masa suba y esté firme. Enfriar en el molde y sacar.
3 Para la ganaché, poner el chocolate en un cuenco. Escaldar la nata, verter sobre el chocolate y remover hasta fundir. Agregar la mantequilla y remover hasta que esté suave. Enfriar.
4 Cortar horizontalmente, extender ⅓ de la ganaché sobre una mitad, poner encima la otra y cubrir con el chocolate restante. Decorar con las líneas diagonales de chocolate blanco y negro.

• Cada porción contiene: 491 kcal, 9 g de proteínas, 31 g de carbohidratos, 38 g de grasa, 4 g de grasas saturadas, 2 g de fibra, 29 g de azúcar añadido, 0,3 g de sal.

Después de adornar el árbol de Navidad, que los niños se entretengan decorando el pastel con chocolate y bolitas de plata y oro.

Pastel navideño de chocolate

225 g de mantequilla ablandada
300 g de azúcar extrafino
4 huevos batidos
corteza rallada de 1 naranja grande
450 g de harina con levadura tamizada
5 cucharadas de leche

PARA LA DECORACIÓN
200 g de chocolate con leche, troceado
100 g de chocolate negro, troceado
100 chocolate blanco, troceado
bolitas comestibles plateadas y doradas

1 hora, más el tiempo de enfriarse
• 12 porciones

1 Precalentar el horno a 180 °C. Engrasar dos moldes redondos de diferentes tamaños y revestirlos.
2 Batir la mantequilla y el azúcar hasta obtener una crema ligera. Agregar poco a poco los huevos y la ralladura de naranja y batir, añadir un poco de harina para evitar que se corte. Incorporar el resto y la leche, y remover con movimientos envolventes. Poner en los dos moldes y alisar las superficies.
3 Cocer el del molde pequeño 30-35 minutos, y el grande, 40-45, hasta que estén dorados. Dejarlos enfriar en los moldes, volcarlos y retirar el papel.
4 Fundir el chocolate con leche con el negro; derretir aparte el blanco. Aplicar un poco de chocolate sobre el pastel grande y asentar el pequeño. Decorar y dejar reposar.

• Cada porción contiene: 569 kcal, 8 g de proteínas, 76 g de carbohidratos, 28 g de grasa, 16 g de grasas saturadas, 2 g de fibra, 45 g de azúcar añadido, 0,8 g de sal.

El pastel y el merengue se pueden preparar con antelación y rellenar y decorar a la hora de servir.

Pastel crujiente de chocolate

50 g de cacao en polvo
225 ml de agua caliente
100 g de mantequilla ablandada
280 g de azúcar extrafino
2 huevos grandes batidos
175 g de harina con levadura
½ cucharadita de gasificante para bollería

PARA EL MERENGUE
la clara de 2 huevos grandes
100 g de azúcar extrafino

PARA LA COBERTURA
280 ml de nata montada
57 g de bombones rellenos de caramelo, troceados (opcional)
azúcar glasé para decorar

1 hora, más el tiempo de enfriarse
• 12 porciones

1 Precalentar el horno a 160 °C. Engrasar y revestir dos moldes redondos. Disolver el cacao en el agua. Batir la mantequilla y el azúcar, añadir los huevos y batir de nuevo. Verter la mezcla de cacao, tamizar encima la harina y el gasificante, y realizar movimientos envolventes hasta lograr una masa suave. Dividirla entre los moldes.
2 Para el merengue, batir las claras a punto de nieve. Incorporar la mitad del azúcar, batir hasta que esté lustroso y agregar el resto. Extender el merengue sobre los pasteles y dejar un borde. Hornear 40 minutos, hasta que el merengue esté crujiente y el bizcocho cocido. Dejar enfriar en el molde 5 minutos y desmoldar con el merengue hacia arriba.
3 Unir los bizcochos y rellenarlos con la nata y los bombones rellenos de caramelo (si se utilizan).

• Cada porción contiene: 406 kcal, 5 g de proteínas, 48 g de carbohidratos, 23 g de grasa, 14 g de grasas saturadas, 1 g de fibra, 36 g de azúcar añadido, 0,6 g de sal.

Esta explosión de chocolate y la naranja confitada deslumbrará a los invitados.

Bomba de chocolate rugoso

150 g de chocolate negro (con 70 % de cacao sólido), troceado
250 g de mantequilla ablandada
225 g de azúcar rubio extrafino
4 huevos grandes
225 g de harina
2 cucharaditas de levadura
100 g de almendras molidas
3 cucharaditas de cacao en polvo
1 cucharada de leche
2 cucharaditas de extracto de vainilla

PARA LA COBERTURA
150 g de chocolate negro (con 70 % de cacao sólido), troceado
150 ml de nata para montar
naranja confitada

2 horas, más el tiempo de enfriarse y refrigerarlo • 12 raciones

1 Precalentar el horno a 160 °C. Engrasar y forrar la base con papel de horno de un molde.
2 Fundir el chocolate con 25 g de mantequilla. Batir la restante con el azúcar, los huevos, la harina, la levadura y 85 g de almendras. Poner 350 g de la mezcla en un cuenco, y agregar el cacao y la leche. Añadir en el resto la vainilla y las almendras, y remover.
3 Extender un poco de la mezcla de vainilla en la base del cuenco. Poner encima un poco de cacao, y en el centro, un poco del chocolate fundido. Repetir las capas y, con un pincho, realizar movimientos circulares. Hornear hasta que el pastel esté cocido. Dejar enfriar y volcarlo en un plato.
4 Para decorar, deshacer el chocolate en la nata. Dejar enfriar 30 minutos, mientras se remueve hasta que adquiera consistencia. Verter sobre el pastel.

• Cada porción contiene: 584 kcal, 9 g de proteínas, 55 g de carbohidratos, 38 g de grasa, 20 g de grasas saturadas, 2 g de fibra, 37 g de azúcar añadido, 0,46 g de sal.

Una receta en la que obtendrás una combinación suave y crujiente.

Tarta de merengue, chocolate y avellanas

1 cucharadita de maicena
1 cucharadita de vinagre de vino blanco
1 cucharadita de extracto de vainilla
la clara de 4 huevos grandes
225 g de azúcar extrafino
50 g de avellanas tostadas picadas

PARA LA COBERTURA
150 ml de nata líquida
100 g de chocolate negro troceado
azúcar glasé y cacao en polvo
para decorar

1 hora 30 minutos, más el tiempo de enfriarse y refrigerarlo • 8 porciones

1 Precalentar el horno a 140º C. Forrar tres bandejas con papel de horno y realizar en cada papel tres círculos de 20 cm.
2 Mezclar la maicena con el vinagre y la vainilla hasta conseguir una pasta. Batir las claras a punto de nieve y agregar gradualmente el azúcar y la pasta sin dejar de batir. Extender las avellanas sobre los círculos de papel. Cocer 1 hora, apagar el horno y dejar los merengues en el interior 1 hora más. Retirar y reservar.
3 Escaldar la nata líquida, agregar el chocolate y remover hasta fundirlo. Dejar enfriar hasta que pueda extenderse; si estuviese muy líquido, poner en el refrigerador durante 1 hora. Unir los tres merengues con el relleno y, cuando estén fríos, espolvorear el azúcar y el cacao y servir.

• Cada porción contiene: 301 kcal, 4 g de proteínas, 36 g de carbohidratos, 17 g de grasa, 8 g de grasas saturadas, 1 g de fibra, 35 g de azúcar añadido, 0,11 g de sal.

Una tarta de queso con cacao en polvo y decorada con bombones de chocolate quedará exquisita.

Tarta de queso Tía María

14 galletas de chocolate negro, machacadas en trocitos
85 g de mantequilla ablandada y caliente
3 paquetes de 300 g de queso Philadelphia a temperatura ambiente
200 g de azúcar rubio extrafino
4 cucharadas de harina
2 cucharaditas de extracto de vainilla
2 cucharadas de licor Tía María
3 huevos grandes batidos
280 ml de crema agria

PARA LA COBERTURA
150 ml de nata
2 cucharadas de licor Tía María
cacao en polvo para espolvorear
8 bombones Ferrero Rocher

1 hora, más el tiempo de enfriarse y refrigerarlo • 16 porciones

1 Precalentar el horno a 180 °C. Forrar un molde redondo. Mezclar las migas de galletas y la mantequilla, prensarlas en el molde y cocer 10 minutos. Dejar enfriar.
2 Subir la temperatura del horno a 240 °C. Batir el queso y el azúcar hasta conseguir una consistencia homogénea, incorporar la harina, la vainilla, el licor, los huevos y la crema agria, y batir de nuevo.
3 Engrasar el molde, volcar la mezcla y hornear 10 minutos. Reducir la temperatura del horno a 110 °C y cocer durante otros 25 minutos. Apagar el horno, abrir la puerta y dejar que la tarta se enfríe en el interior durante 2 horas.
4 Mezclar la crema agria y el licor, extender sobre la tarta y dejar enfriar. Desmoldarla, decorarla y servir.

• Cada porción contiene: 410 kcal, 7 g de proteínas, 32 g de carbohidratos, 29 g de grasa, 17 g de grasas saturadas, 1 g de fibra, 24 g de azúcar añadido, 0,89 g de sal.

Un pastel sofisticado e impresionante.

Pastel de mousse de chocolate blanco

250 g de chocolate negro, troceado
75 g de mantequilla
3 cucharadas de licor de café como el Tía María o el Kahlúa
9 huevos grandes, separadas las claras de las yemas
120 g de azúcar extrafino
175 g de almendras molidas

PARA LA MOUSSE
150 g de chocolate blanco troceado
600 ml de nata líquida

PARA LA DECORACIÓN
cacao en polvo
virutas de chocolate

1 hora 30 minutos, más el tiempo de enfriarse y refrigerarlo
• 12 porciones

1 Precalentar el horno a 180 ºC. Engrasar y forrar un molde redondo. Fundir el chocolate negro y la mantequilla con el licor al baño María. Dejar enfriar e incorporar las yemas y la mitad del azúcar.
2 Batir las claras a punto de nieve y añadir batiendo el azúcar restante. Envolver la clara en la mezcla de chocolate y las almendras. Volcar en el molde y cocer 45-50 minutos la masa, hasta que suba y, al introducir un pincho, salga limpio. Dejar enfriar y desmoldar.
3 Para preparar la mousse, derretir el chocolate blanco al baño María y dejar enfriar. Batir la nata hasta que adquiera consistencia, y mezclarla con movimientos envolventes con chocolate blanco fundido. Añadir mousse sobre el pastel y dejar en el refrigerador 30 minutos. Decorar con cacao en polvo y virutas de chocolate, y servir.

• Cada porción contiene: 673 kcal, 11,6 g de proteínas, 34,1 g de carbohidratos, 54,9 g de grasa, 25,9 g de grasas saturadas, 1,6 g de fibra, 33,6 g de azúcar añadido, 0,33 g de sal.

Exquisitos pastelillos fáciles de elaborar. Pueden hacerse con antelación y congelarse.

Pastelillos de chocolate

150 g de yogur natural
3 huevos batidos
1 cucharadita de extracto de vainilla
175 g de azúcar rubio extrafino
140 g de harina con levadura (sustituir 1cucharada de harina por una de cacao en polvo)
100 g de almendras molidas
175 g de mantequilla sin sal, fundida
bolitas de chocolate para decorar

PARA EL BAÑO DE CHOCOLATE
100 g de chocolate (con leche o negro)
140 g de mantequilla sin sal
140 g de azúcar glasé

18-20 minutos, más el tiempo de glaseado • 12 pastelillos

1 Colocar vasitos de papel rizado en un molde de 12 magdalenas. Precalentar el horno a 190 °C. Mezclar el yogur, huevos y vainilla en una vasija. Salar los ingredientes secos, colocarlos en un recipiente grande y hacer un hueco en el centro. Incorporar la mezcla de yogur y realizar movimientos envolventes.
2 Poner la mezcla en los vasitos llenarlos y hornear hasta que hayan subido, estén dorados y firmes. Dejar enfriar y sacar para enfriar del todo.
3 Para el glaseado, mezclar el chocolate en el microondas a temperatura alta 1 ½ minutos y medio, remover a mitad del proceso y dejar enfriar. Batir la mantequilla y el azúcar glasé hasta que estén cremosos. Agregar el chocolate y batir. Repartir sobre los pastelitos y decorar con bolitas de chocolate. Mantenerlos fríos.

• Cada porción (con las bolitas) contiene:
492 kcal, 6 g de proteínas, 47 g de carbohidratos, 32 g de grasa, 17 g de grasas saturadas, 1 g de fibra, 38 g de azúcar añadido, 0,32 g de sal.

Este trifle se puede preparar con antelación y conservar en el frigorífico durante dos días, o en el congelador durante tres meses.

Trifle con almendras y moca

250 g de queso mascarpone, batido hasta que esté ligeramente suave
50 g de azúcar extrafino
300 ml de nata montada
100 g de chocolate negro, troceado
50 g de almendras blancas, tostadas y troceadas
150 ml de café solo frío
4 cucharadas de licor de café como el Tía María o el Kahlúa
1 bizcocho grande esponjoso, cortado en 15 porciones

PARA LA DECORACIÓN
150 ml de nata montada
azúcar glasé para espolvorear

30 minutos, más el tiempo de refrigerarse • 6-8 porciones

1 Forrar un molde de 1,4 litros con film suficiente para cubrirlo. Batir el mascarpone y el azúcar, y añadir la nata realizando movimientos envolventes.
2 Mezclar el chocolate y las almendras, y reservar 2 cucharadas Combinar el café y el licor. Cubrir la base del molde con trozos de bizcocho y humedecer con un poco de café. Repartir sobre el pastel dos cucharadas de queso y cubrirlo con un tercio del chocolate con almendras. Hacer dos capas más y finalizar con una de bizcocho empapado con el resto de café. Cubrir con el plástico que sobresale y dejar en el refrigerador durante 4 horas.
3 Desenvolver la parte superior del pastel, volcarlo y retirar por completo el film. Cubrir con nata, repartir el chocolate y las almendras restantes, y espolvorear el azúcar glasé.

• Cada porción contiene: 940 kcal, 8 g de proteínas, 64 g de carbohidratos, 73 g de grasa, 42 g de grasas saturadas, 2 g de fibra, 46 g de azúcar añadido, 0,75 g de sal.

Es difícil resistir la tentación ante un pudin como este.
Es importante tener preparada la exquisita salsa de frutas.

Pudin de chocolate y polenta

cacao en polvo para espolvorear
140 g de chocolate negro, troceado
140 g de mantequilla, cortada en dados
85 g de azúcar extrafino
3 huevos grandes
la yema de 3 huevos
25 g de polenta de primera calidad
1 cucharada colmada de harina
azúcar glasé para espolvorear
6 grosellas para decorar

PARA LA SALSA
8 frutas de la pasión, partidas
por la mitad
25 g de azúcar extrafino

1 hora • 6 raciones

1 Para hacer la salsa, colocar la pulpa de la fruta en una cazuela con el azúcar y remover a fuego suave, hasta que el azúcar se disuelva y la pulpa se separe de las semillas. Tamizar (reservar algunas semillas para la salsa) y dejar enfriar.
2 Precalentar el horno a 180 °C. Engrasar seis moldes, esparcir cacao y meter en la nevera.
3 Fundir el chocolate con la mantequilla y dejar enfriar. Poner en una fuente el azúcar, los huevos y las yemas, y batir durante 5 minutos, hasta que la mezcla adquiera un color pálido. Incorporar gradualmente la mezcla de chocolate y batir.
4 Mezclar la polenta y la harina, agregar la mezcla de chocolate con movimientos envolventes, y rellenar los moldes hasta la mitad. Hornear hasta que la masa esté firme. Desmoldarlo, espolvorear azúcar glasé y decorar con las grosellas.

• Cada porción contiene: 511 kcal, 8,2 g de proteínas, 46,5 g de carbohidratos, 33,7 g de grasa, 18,2 g de grasas saturadas, 1,8 g de fibra, 39,5 g de azúcar añadido, 0,51 g de sal.

Los profiteroles con sabor a café serán el colofón perfecto a una comida especial.

Profiteroles de café

85 g de mantequilla sin sal, cortada en dados
100 g de harina tamizada con una pizca de sal
3 huevos grandes batidos

PARA EL RELLENO
4 cucharadas de polvos para crema pastelera
6 cucharadas de azúcar rubio extrafino
600 ml de leche
2 cucharadas de esencia de café
100 g de azúcar glasé tamizado
300 ml de nata montada

PARA LA SALSA
100 g de chocolate negro, troceado
50 g de mantequilla, cortada en dados
50 ml de café solo
1-2 cucharadas de licor de café

1 hora 15 minutos, más el tiempo de enfriarse • 6 raciones

1 Para hacer la masa, colocar en una cazuela 200 ml de agua y la mantequilla y llevar a ebullición, retirarla del fuego y agregar la harina. Remover hasta conseguir una pasta y batir hasta que se despegue de las paredes de la cazuela. Retirarla y dejarla enfriar.
2 Precalentar el horno a 200 °C. Poner la masa en la cazuela, añadir uno a uno los huevos batiendo. Con una cuchara, forma bolitas del tamaño de una nuez, hornearlas hasta que adquieran un color dorado. Virar cada bolita o hornearlas 5 minutos más. Dejar enfriar.
3 Para la crema, mezclar el azúcar y la leche. Incorporar el café y dejar enfriar. Mezclar el azúcar y la nata, y envolver en la crema. Rellenar las bolitas con la crema.
4 Fundir el chocolate, la mantequilla y el café. Añadir el licor y los profiteroles.

• Cada ración contiene: 807 kcal, 11 g de proteínas, 73 g de carbohidratos, 54 g de grasa, 31 g de grasas saturadas, 1 g de fibra, 51 g de azúcar añadido, 0,63 g de sal.

Un postre ligero para Navidad, que puede descongelarse una hora antes de la cena.

Pudin navideño glaseado

corteza rallada de 1 clementina y 3 cucharadas del zumo
5 cucharadas de ron añejo o de zumo de naranja
140 g de azúcar rubio extrafino
85 g de arándanos y pasas deshidratados
25 g de cortezas confitadas de frutas
150 ml de nata montada
300 g de yogur griego desnatado, batido
50 g de chocolate blanco, fundido

30 minutos, más el tiempo de enfriarse y congelarlo • 4 raciones

1 Forrar cuatro moldes con suficiente film. Calentar el zumo de clementina con el ron y el azúcar. Agregar las frutas y hervir a fuego lento 2 minutos. Añadir la corteza de clementina y las confitadas, y enfriar.
2 Mezclar la nata con el yogur. Verter en un recipiente 4 cucharadas del almíbar de frutas y congelar. Agregar el resto en la mezcla del yogur y repartirlo entre los moldes. Cubrirlos con el film, envolverlos en papel de aluminio y congelarlos (se conservan hasta un mes).
3 Forrar una bandeja con papel de horno. Dibujar 4 estrellas en el papel, voltearlo y rociar el chocolate fundido sobre las estrellas calcadas. Dejar que el chocolate se endurezca, y congelarlo dentro de un recipiente con capas de papel de horno.
4 Descongelar la fruta a temperatura ambiente; y los púdines en el frigorífico. Echar la fruta glaseada encima, poner las estrellas al lado y servir.

• Cada porción contiene: 494 kcal, 6 g de proteínas, 60 g de carbohidratos, 23 g de grasa, 13 g de grasas saturadas, 1 g de fibra, 39 g de azúcar añadido, 0,22 g de sal.

Un postre exquisito que puede prepararse en menos de media hora. Para emborrachar las cerezas en almíbar, añadirles un poco de coñac.

Trifle selva negra

200 g de bizcocho esponjoso
425 g de cerezas en almíbar y sin hueso
1 barra de chocolate con leche
100 g de virutas de chocolate negro
400 ml de natillas
200 ml de nata líquida

20 minutos, más el tiempo de refrigerarlo • 4 raciones generosas

1 Cortar el bizcocho en trozos gruesos y colocarlos en la base de una fuente. Cortar tres cerezas por la mitad, reservarlas y repartir el resto sobre el bizcocho con el almíbar. Desmenuzar la mitad de la barra de chocolate sobre las cerezas y repartir la mitad de las virutas de chocolate.

2 Fundir las virutas restantes en el microondas a temperatura media 2 minutos, remover a mitad del proceso. Dejar enfriar 5 minutos y batir las natillas en el chocolate fundido. Repartir por encima las cerezas.

3 Añadir la nata sobre las natillas. Esparcir las cerezas reservadas y desmenuzar el chocolate restante. Refrigerar hasta que esté listo para servir.

• Cada porción contiene: 478 kcal, 7 g de proteínas, 59 g de carbohidratos, 25 g de grasa, 14 g de grasas saturadas, 1 g de fibra, 16 g de azúcar añadido, 0,57 g de sal.

Una receta de suflé sencilla para agradar a los invitados con un postre sensacional.

Suflé de chocolate negro

azúcar extrafino para espolvorear
140 g de chocolate negro, troceado
150 ml de nata
½ cucharadita de café en polvo instantáneo
2 cucharadas de coñac
3 huevos grandes, separada la clara de la yema
la clara de 2 huevos grandes
85 g de azúcar extrafino
azúcar glasé para decorar

PARA LA SALSA
100 g de chocolate blanco troceado
300 ml de nata
1 cucharada de coñac

45 minutos • 4 raciones

1 Precalentar el horno a 220 °C. Engrasar con mantequilla un recipiente y espolvorear azúcar extrafino.
2 Fundir el chocolate, la nata y el café hasta obtener una consistencia suave. Retirar del fuego, incorporar el coñac y las yemas y batir. Dejar enfriar.
3 Batir las claras. Añadir el azúcar y batir hasta que la mezcla esté lustrosa. Volcar una cuarta parte en el chocolate, con movimientos envolventes, incorporar a las claras restantes y envolver. Verter la mezcla en el recipiente y pasar un cuchillo por la parte superior de las paredes del recipiente (para ayudar a que suba). Hornear hasta que la masa haya subido.
4 Para la salsa, fundir el chocolate y la nata, verter el coñac y remover.
5 Espolvorear el azúcar glasé y servir con la salsa.

• Cada porción contiene: 982 kcal, 12 g de proteínas, 63 g de carbohidratos, 75 g de grasa, 40 g de grasas saturadas, 1 g de fibra, 57 g de azúcar añadido, 0,44 g de sal.

Un pastel de queso que no hay que cocinar. Se prepara con antelación y, al servirlo, se le añade la salsa de arándanos.

Pastel de queso con chocolate blanco

100 g de galletas tipo *digestive*
50 g de mantequilla fundida
400 g de chocolate blanco, troceado
300 ml de nata líquida
250 g de queso cremoso
250 g de queso mascarpone

PARA LA SALSA DE ARÁNDANOS
275 g de arándanos, y un poco más para servir
50 g de azúcar extrafino
1 cucharada de zumo de limón

30 minutos, más 5 para refrigerarlo
• 10 porciones

1 Triturar las galletas, agregar la mantequilla y triturar de nuevo. Forrar con papel de horno la base de un molde. Cubrir la base uniformemente con la mezcla, tapar y poner en el refrigerador.
2 Para el relleno, poner el chocolate al baño María. Retirar del fuego, dejar que se funda por completo y remover. Sacarlo del cazo y dejar que se enfríe.
3 Batir en un cuenco la nata, el queso cremoso y el mascarpone, y verter el chocolate fundido. Volcarlo sobre la base del molde y ponerlo en el refrigerador 3 horas.
4 Poner en una batidora la mitad de los arándanos con el azúcar y el zumo de limón, y batir. Pasarla por un tamiz y reservar.
5 Retirar el pastel de queso del molde y partirlo en porciones. Rociar con salsa y decorar con los arándanos.

• Cada porción contiene: 802 kcal, 9 g de proteínas, 49 g de carbohidratos, 65 g de grasa, 24 g de grasas saturadas, 1 g de fibra, 32 g de azúcar añadido, 0,83 g de sal.

Decorar este postre con una bengala, encenderla en el momento de presentarlo y servirlo con la salsa de chocolate caliente a medida que la bengala vaya dejando de centellear.

Bomba de chocolate Alaska

20 cm de bizcocho de chocolate esponjoso
la corteza rallada de 1 naranja
5 cucharadas de mermelada
1.200 ml de helado de vainilla, ablandado en el frigorífico durante 30 minutos
400 ml de sorbete de naranja ablandado
salsa de chocolate caliente para servir

PARA EL MERENGUE
la clara de 4 huevos grandes
225 ml de azúcar extrafino

1 hora, más el tiempo de congelarlo
• 8 raciones

1 Forrar con film suficiente un molde de pudin. Para la base del molde, cortar un círculo de bizcocho; para las paredes, trozos triangulares; rellenar los espacios sin cubrir con trocitos de bizcocho y congelar.
2 Batir la corteza de naranja y la mermelada en el helado. Colocarlo en el molde y realizar una marca con un cuenco pequeño en la parte superior. Congelar hasta que esté firme, y rellenar con el sorbete el hueco que ha dejado el cuenco. Cubrir la parte superior con bizcocho esponjoso y cubrir con el film. Congelar 8 horas.
3 Antes de servir, precalentar el horno a 230 °C. Batir las claras a punto de nieve y agregar el azúcar poco a poco, batiendo constantemente. Desmoldar y cubrir con el merengue en espirales. Hornear hasta que adquiera un color dorado.

• Cada porción contiene: 505 kcal, 7,5 g de proteínas, 83,7 g de carbohidratos, 17,9 g de grasa, 9,5 g de grasas saturadas, 0,7 g de fibra, 73,5 g de azúcar añadido, 0,61 g de sal.

Un postre delicioso para una cena especial en casa
o después de un día de esquí.

Mini Monts Blancs

- la clara de 5 huevos grandes
- 300 g de azúcar rubio extrafino
- 2 cucharaditas de maicena mezcladas con 1 cucharadita de vinagre de vino blanco
- 100 g de chocolate negro
- 250 g de puré de castaña azucarado, en conserva
- 2 cucharadas de ron añejo (opcional)
- 250 ml de nata líquida
- chocolate rallado para servir

1 hora 30 minutos, más el tiempo de enfriarse y refrigerarlo • 8 porciones

1 Precalentar el horno a 140 °C. Forrar dos bandejas con papel de horno. Batir las claras a punto de nieve, incorporar el azúcar poco a poco sin dejar de batir. Unir la mezcla de la maicena y batir. Con una cuchara, poner encima de las bandejas 8 montoncitos de merengue con un pico en el centro. Cocer hasta que estén crujientes, sacar y dejar enfriar.

2 Trocear y fundir 85 g de chocolate. Colocar el puré de castaña en un cuenco, verter el ron y el chocolate y remover. Montar la mitad de la nata, incorporarla en la mezcla de castaña y refrigerarla hasta que esté firme.

3 Disponer la mezcla de castaña sobre los merengues en forma de espiral. Montar la nata restante y colocarla encima de la castaña como copos de nieve. Enfriar en el frigorífico unas 2 horas y servir con chocolate rallado.

• Cada porción contiene: 423 kcal, 4 g de proteínas, 63 g de carbohidratos, 19 g de grasa, 12 g de grasas saturadas, 2 g de fibra, 50 g de azúcar añadido, 0,14 g de sal.

Este pastel de chocolate es contundente y muy dulce.
Para contrarrestar la dulzor, servirlo con nata líquida y arándanos.

Pastel de mousse de chocolate

350 g de chocolate negro (con 70 % de cacao), troceado
225 g de mantequilla sin sal, cortada en dados
5 huevos grandes
300 g de azúcar rubio extrafino
100 g de galletas de mantequilla, troceadas

PARA SERVIR
300 ml de nata líquida
225 g de arándanos

1 hora-1hora 15 minutos, más el tiempo de enfriarse y refrigerarse (opcional)
• 8 porciones

1 Precalentar el horno a 160 °C. Engrasar y forrar un molde redondo. Fundir en el mismo cazo el chocolate y la mantequilla. Batir los huevos y el azúcar con una batidora eléctrica 5 minutos, hasta que doblen su volumen.
2 Volcar el chocolate en los huevos batidos y unir con movimientos envolventes. Agregar las galletas y envolver de nuevo.
3 Verter la mezcla en el molde y hornear hasta conseguir una consistencia firme. Dejar enfriar en el molde 30 o 45 minutos antes de servirlo tibio y espeso (como aparece en la ilustración) o poner en el refrigerador 24 horas, hasta que pueda cortarse en trozos grandes. Decorar con nata líquida y arándanos frescos.

• Cada porción contiene: 720 kcal, 9 g de proteínas, 67 g de carbohidratos, 48 g de grasa, 27 g de grasas saturadas, 3 g de fibra, 52 g de azúcar añadido, 0,22 g de sal.

Este pudin con frutas silvestres y nata montada es ideal para una tarde de verano.

Tarta de chocolate con frambuesas

PARA LA PASTA
100 g de harina
50 g de almendras molidas
85 g de mantequilla cortada en dados
25 g de azúcar extrafino
la yema de un huevo grande

PARA EL RELLENO
las claras de 2 huevos grandes
100 g de azúcar rubio extrafino
150 g de chocolate negro fundido
150 ml de nata montada
2 cucharadas de coñac

PARA LA DECORACIÓN
300 ml de nata montada
450 g de frambuesas y arándanos
azúcar glasé para espolvorear

1 hora 30 minutos, más el tiempo de enfriarse y refrigerarlo • 6-8 porciones

1 Procesar la harina, las almendras y la mantequilla en un robot, hasta obtener migas. Mezclar con el azúcar, las yemas y una cucharada de agua fría para hacer una pasta. Amasar ligeramente, envolver en film y poner en el frigorífico 15-20 minutos.
2 Precalentar el horno 190 ºC. Estirar la masa para forrar un molde de flan. Cubrir con papel de aluminio y algún peso (judías) y cocerla 15 minutos. Retirar el papel y las judías, y hornear. Dejar enfriar.
3 Para el relleno, batir las claras y el azúcar en un cuenco al baño María durante 5 minutos, hasta que espesen y estén brillantes. Retirar del fuego y batir 2 minutos más. Incorporar, con movimientos envolventes, el chocolate, la nata y el coñac, cubrir la pasta y colocar en el refrigerador hasta que esté firme.

• Si se sirven 6 porciones, cada una contiene: 794 kcal, 8 g de proteínas, 59 g de carbohidratos, 59 g de grasa, 34 g de grasas saturadas, 3 g de fibra, 39 g de azúcar añadido, 0,42 g de sal.

Trifle veraniego. No incluir huevos si alguno de los invitados no puede ingerirlos crudos o se desea un pudin ligero.

Trifle con bayas y chocolate

600 g de fresas laminadas
4 cucharadas de zumo de naranja
500 g de queso mascarpone
100 g de azúcar rubio extrafino
3 huevos grandes, separada la clara de la yema
8 brownies de chocolate
50 g de chocolate negro, rallado o cortado en virutas

25-35 minutos, más el tiempo de humedecerlo y refrigerarlo • 8 porciones

Esta mousse contiene claras de huevo crudas que deben evitarse si no se toleran.

1 Mezclar en una fuente las fresas y el zumo de naranja, y dejar empapar durante 30 minutos.
2 Batir el queso mascarpone con el azúcar y las yemas de huevo hasta conseguir una textura suave. Batir las claras casi a punto de nieve e incorporar algo en el queso para hacerlo algo más ligero. Añadir el resto con movimientos envolventes.
3 Partir los brownies por la mitad horizontalmente y ponerlos bien asentados en la base de una fuente de cristal (quizá sea necesario cortarlos). Agregar la mitad del zumo con fresas y la mitad del queso. Colocar otra capa de brownies e incorporar el resto de zumo con fresas. Por último, disponer el mascarpone restante. Cubrir y dejar en el refrigerador varias horas o incluso toda la noche.
4 Antes de servir, repartir el chocolate rallado o cortado en virutas.

• Cada porción contiene: 590 kcal, 7 g de proteínas, 48 g de carbohidratos, 42 g de grasa, 24 g de grasas saturadas, 2 g de fibra, 29 g de azúcar añadido, 0,42 g de sal.

Un postre rápido y sencillo de elaborar que puede conservarse en el congelador durante un mes.

Sorbete de chocolate suave

225 g de azúcar extrafino
200 g de chocolate negro

15-20 minutos, más el tiempo de enfriarse, refrigerarlo y congelarlo
• 4 raciones

1 Para preparar un almíbar, colocar el azúcar en una cazuela honda, verter 500 ml de agua y dejar hervir hasta que se haya disuelto. Retirar del fuego y dejar que se enfríe por completo.
2 Mientras el almíbar se enfría, trocear el chocolate y fundirlo al baño María (o en el microondas a temperatura alta), y dejar enfriar.
3 Cuando el almíbar y el chocolate estén completamente fríos (es muy importante), mezclar los dos ingredientes poco a poco en un recipiente grande. Disponer el recipiente en el frigorífico hasta que la mezcla esté bien fría, y batir en una heladera. Una vez se haya congelado el sorbete, volcarlo en un recipiente hermético y conservarlo en el congelador.

• Cada ración contiene: 477 kcal, 2,5 g de proteínas, 90,8 g de carbohidratos, 14 g de grasa, 8 g de grasas saturadas, 1,3 g de fibra, 90,4 g de azúcar añadido, 0,01 g de sal.

Un postre popular que, servido en tazas y presentado con galletas crujientes, puede llegar a ser un magnífico colofón en una velada entre amigos.

Mousse de chocolate

200 g de chocolate negro de tableta
2 cucharadas de coñac
la clara de 3 huevos grandes
50 g de azúcar rubio extrafino
100 ml de nata montada o casi montada

PARA SERVIR
azúcar glasé para espolvorear
galletas crujientes (lenguas de gato, por ejemplo)

20-30 minutos, más el tiempo de refrigerarse • 6 raciones

Esta mousse contiene claras de huevo crudas que deben evitarse si no se toleran.

1 Trocear 150 ml de chocolate y fundirlo al baño María. Retirar la cazuela del fuego y, manteniendo el cazo en contacto con el agua, verter el coñac y remover. Rallar el chocolate restante y reservar.
2 Batir las claras a punto de nieve. Incorporar el azúcar, cucharada a cucharada, para obtener un merengue lustroso. Retirar el chocolate de la cazuela y añadir 1 cucharada colmada de merengue con movimientos envolventes, añadir el chocolate en el merengue y envolver suave y constantemente. Agregar la nata montada y dos terceras partes del chocolate rallado con el mismo movimiento. Dividir en 6 tazas y enfriar 2 horas o toda la noche.
3 Servir cubierto con el chocolate rallado restante y con el azúcar glasé, y disponer las galletas al lado de la taza.

• Cada ración contiene: 283 kcal, 4 g de proteínas, 30 g de carbohidratos, 16 g de grasa, 9 g de grasas saturadas, 1 g de fibra, 30 g de azúcar añadido, 0,11 g de sal.

Una combinación muy exitosa: cerezas y chocolate, el colofón ideal para una comida especial.

Tarrina de cerezas y chocolate

225 g de chocolate negro (con 70 % de cacao sólido), troceado
150 g de mantequilla sin sal, cortada en dados y ablandada
100 g de azúcar rubio extrafino
25 g de cacao en polvo
300 ml de nata líquida
la clara de 3 huevos
125 ml de licor de cerezas o de coñac
280 g de cerezas (frescas o de lata), sin hueso

PARA SERVIR
125 ml de licor de cereza o de coñac
50 g de azúcar rubio extrafino
500 g de queso mascarpone

1 hora-1 hora 15 minutos, más el tiempo de enfriarlo y refrigerarlo • 10 porciones

1 Forrar un molde rectangular con suficiente film. Fundir el chocolate con la mitad de la mantequilla y dejar enfriar. Batir la mantequilla restante con el azúcar y el cacao.
2 En un recipiente, montar un poco la nata; en otro, batir las claras casi a punto de nieve.
3 Verter el licor en la mezcla del cacao, añadir el chocolate derretido y las cerezas. Incorporar la nata con movimientos envolventes, y las claras hasta que estén mezcladas. Volcar sobre el molde y asentar la mezcla. Cubrir y dejar toda la noche en el congelador o conservarlo por un mes.
4 Para servir, hervir el licor y el azúcar en un cazo, hasta que se haga un sirope. Dejar enfriar. Desmoldar, retirar el papel y dejar 10-15 minutos antes de cortarla. Servir con una cucharada de queso mascarpone y rociado con sirope.

• Cada porción contiene: 771 kcal, 4,8 g de proteínas, 39,6 g de carbohidratos, 60,8 g de grasa, 35,9 g de grasas saturadas, 1,9 g de fibra, 34,4 g de azúcar añadido, 0,21 g de sal.

Con este increíble semifreddo, se podrá disfrutar del sabor del verano todo el año, gracias a las bayas congeladas.

Semifreddo con salsa de chocolate

la clara de 3 huevos grandes
1 cucharadita de café instantáneo, disolver en agua hirviendo y dejar enfriar
175 g de azúcar rubio extrafino
50 g de avellanas tostadas, picadas
600 ml de nata montada
500 g de bayas variadas congeladas

PARA LA SALSA
150 ml de nata líquida
1 cucharada de almíbar dorado
3 cucharadas de agua
40 g de chocolate negro (con 70 % de cacao sólido), troceado
25 g de mantequilla

3 horas 30 minutos aprox. más el tiempo de enfriarse, congelarlo y descongelarlo
• 6 porciones

1 Precalentar el horno a 110 °C. Forrar una bandeja. Batir las claras con el café. Incorporar la mitad del azúcar y batir, añadir las avellanas y el azúcar restante. Extender sobre el papel una capa de unos 2 cm, cocer 3 horas y dejar enfriar.
2 Forrar un molde redondo desmontable, de 20 cm. Trocear el merengue, mezclar dos terceras partes con la nata y repartir el resto en el molde. Cubrir con la mitad de las bayas y repetir las capas, hasta que la de arriba quede cubierta de nata y merengue. Tapar con film y un plato. Envolver y congelar.
3 Pasarlo al refrigerador 2-3 horas. Retirar el papel, ponerlo en un plato y dejar en el refrigerador 5 horas.
4 Calentar en un cazo la nata, el almíbar y el agua; al hervir, añadir el chocolate y la mantequilla, y fundir. Verter sobre el pastel.

• Cada porción contiene: 893 kcal, 8 g de proteínas, 49 g de carbohidratos, 76 g de grasa, 44 g de grasas saturadas, 4 g de fibra, 39 g de azúcar añadido, 0,32 g de sal.

Para obtener un postre delicioso, decorar los suflés con azúcar glasé o servirlos con una bola de helado de vainilla.

Suflés de chocolate con naranja

- 25 g de almendras molidas
- 175 g de chocolate negro con naranja, troceado
- 25 g de mantequilla
- 4 huevos grandes, separadas las claras de las yemas
- azúcar glasé para espolvorear

35 minutos • 6 raciones

1 Precalentar el horno a 190 °C. Engrasar seis moldes para suflé de 125 ml y repartir las almendras molidas.

2 Reservar tres onzas de chocolate. Trocear el resto en un cuenco, añadir la mantequilla y poner al baño María para fundirlo, retirarlo y dejarlo enfriar 5 minutos. Agregar las yemas y remover.

3 En otro cuenco, batir las claras hasta que estén firmes. Poner una cuarta parte en la mezcla de chocolate y, con una cuchara de metal, incorporar el resto de claras con movimientos envolventes.

4 Dividir la mezcla entre los distintos moldes y poner una onza de chocolate en el centro de cada molde. Cocer hasta que la masa suba y servir de inmediato.

• Cada suflé contiene: 245 kcal, 6 g de proteínas, 21 g de carbohidratos, 16 g de grasa, 6 g de grasas saturadas, 1 g de fibra, 18 g de azúcar añadido, 0,27 g de sal.

Es mejor que te reserves para el postre, porque este pudin es ideal para concluir una buena comida.

Tarta de chocolate con ciruelas pasas

250 g de ciruelas pasas partidas por la mitad
4 cucharadas de coñac
25 g de cacao en polvo
100 g de chocolate negro (con 70 % de cacao sólido)
50 g de mantequilla cortada en dados
175 g de azúcar extrafino
la clara de 4 huevos grandes
85 g de harina
1 cucharadita de canela molida
nata montada, para servir

1 hora 5 minutos, más 30 minutos para remojarlo • 8 porciones

1 Dejar las ciruelas pasas en remojo en coñac durante 30 minutos. Precalentar el horno a 190 °C. Engrasar un molde redondo de 23 cm desmontable. Poner el cacao, el chocolate, la mantequilla, 140 g del azúcar y 100 ml de agua caliente en una cazuela y calentar a fuego lento. Dejar enfriar.

2 Batir las claras casi a punto de nieve, incorporar el azúcar restante y batir. Tamizar la harina y la canela sobre las claras y mezclar los ingredientes con movimientos envolventes. Añadir la mezcla de chocolate y remover del mismo modo, hasta que esté todo mezclado.

3 Volcarla en el molde y añadir encima las ciruelas. Si sobra coñac, rociarlo y cocer hasta que la masa esté firme. Servir con nata montada o fresca.

• Cada porción contiene: 311 kcal, 5 g de proteínas, 51 g de carbohidratos, 10 g de grasa, 6 g de grasas saturadas, 3 g de fibra, 31 g de azúcar añadido, 0,18 g de sal.

Un postre de aspecto formidable y dificultad media, pero que recompensa el esfuerzo.

Pastel de queso con chocolate y licor de café

50 g de mantequilla
225 g de galletas machacadas
225 g de chocolate negro (con 50 % de cacao sólido), troceado
400 g de queso cremoso
100 g de azúcar moreno extrafino
4 huevos
300 ml de nata líquida enriquecida
5 cucharadas de licor de café

PARA LA COBERTURA
200 ml de nata líquida
2 cucharadas de licor de café, y un poco más para servir
cacao en polvo para decorar

1 hora y 30 minutos, más el tiempo de enfriarse • 12 porciones

1 Fundir la mantequilla en una cazuela y poner las galletas machacadas. Engrasar con aceite un molde redondo de 23 cm y volcar la mezcla.
2 Derretir el chocolate al baño María. Precalentar el horno a 160 °C.
3 Batir el queso y el azúcar hasta conseguir una textura suave. Agregar los huevos de uno en uno, sin batirlos mucho. Ir añadiendo el chocolate, la nata y el licor poco a poco. Verterlo sobre la base de galleta y cocer hasta que la masa esté firme. La parte superior ha de estar lustrosa y temblorosa, y el centro, oscuro. Aflojar los bordes del molde y dejar enfriar. Refrigerar 3 horas o toda la noche.
4 Desmoldarlo. Mezclar la crema de leche y el licor de café, y cubrir la tarta. Decorar con el cacao, rociar el licor y servir.

• Cada porción contiene: 583 kcal, 7,5 g de proteínas, 34,3 g de carbohidratos, 45,1 g de grasa, 25,4 g de grasas saturadas, 1,7 g de fibra, 23,4 g de azúcar añadido, 0,71 g de sal.

Aunque sea la primera vez que se prepara un suflé, con esta receta será todo un éxito.

Suflés de chocolate caliente

2 cucharadas de almendras molidas
150 g de chocolate negro, troceado
4 cucharadas de café solo, o licor de café o avellana
2 cucharaditas de harina
100 g de azúcar extrafino
4 huevos grandes, separadas las claras de las yemas
helado de vainilla para servir

PARA LA SALSA
150 ml de nata líquida
100 g de chocolate negro, troceado
2 cucharadas de café solo, o licor de café o avellana

1 hora • 6 raciones

1 Precalentar el horno a 190 °C. Engrasar seis moldes para suflé de 200 ml y repartir las almendras.
2 Fundir el chocolate con el café y dejar enfriar. Incorporar la harina, la mitad del azúcar y las yemas. Batir las claras a punto de nieve e ir añadiendo el azúcar restante. Mezclar con el chocolate con movimientos envolventes y volcarlo en los moldes. (Cubrir los suflés con papel de aluminio y reservarlos 1 hora.)
3 Cocer la masa durante hasta que haya subido y la corteza esté firme. Para hacer la salsa, escaldar la nata en una cazuela, retirarla del fuego, añadirle el chocolate, remover y verter el café.
4 Cortar la parte superior de cada suflé, agregar una bola de helado, rociar la salsa.

• Cada ración contiene: 503 kcal, 10 g de proteínas, 39 g de carbohidratos, 35 g de grasa, 17 g de grasas saturadas, 3 g de fibra, 28 g de azúcar añadido, 0,17 g de sal.

Si no tiene fresas para este postre, se puede utilizar otra baya de temporada o sustituirlas por rodajas de melocotón o nectarina.

Tarta de chocolate Pavlova

2 cucharaditas de maicena
2 cucharaditas de vinagre blanco
2 cucharaditas de extracto de vainilla
la clara de 5 huevos grandes
300 g de azúcar extrafino
50 g de chocolate negro (con 50 %-70 % de cacao), rallado
1 cucharada de cacao en polvo tamizado, y un poco más para espolvorear

PARA LA DECORACIÓN
425 ml de nata montada
450 g de fresas laminadas (dejar algunas enteras)
25 g de avellanas tostadas

1 hora 30 minutos, más el tiempo de enfriarse • 6 raciones

1 Precalentar el horno a 140 °C. Forrar una bandeja. Amasar la maicena, el vinagre y la vainilla hasta obtener una pasta.
2 Batir las claras a punto de nieve, agregar el azúcar poco a poco e ir batiendo, y repetir la operación con la pasta de maicena hasta obtener una mezcla con cuerpo. Poner la mitad de la masa en un cuenco e incorporar el chocolate y el cacao. Remover con movimientos envolventes, volcar en el merengue y batir un poco.
3 Con una cuchara, hacer en el papel un disco de 23 cm con una concavidad en el centro. Espolvorear el cacao en los bordes y, con un pincho, girar la masa para formar picos. Hornear 1 hora, retirar y dejar enfriar.
4 Añadir la nata sobre el merengue, poner las fresas y las avellanas.

• Cada ración contiene: 631 kcal, 5 g de proteínas, 68 g de carbohidratos, 40 g de grasa, 23 g de grasas saturadas, 2 g de fibra, 59 g de azúcar añadido, 0,26 g de sal.

En esta ocasión, una delicia tentadora para la hora del café se convierte en un postre excelente y elegante.

Pudin de brownie

140 g de chocolate negro, troceado
175 g de mantequilla cortada en dados
175 g de azúcar mascabado
225 g de harina con levadura
1 cucharada de cacao en polvo
2 huevos grandes batidos
100 g de nueces troceadas

PARA SERVIR
100 g de chocolate blanco troceado
300 ml de nata líquida

2 horas 15 minutos • 6-8 porciones

1 Engrasar y forrar un molde. Poner al baño María el chocolate negro, la mantequilla, el azúcar y 200 ml de agua para obtener una salsa suave. Retirarlo del fuego y dejar enfriar 10 minutos.
2 Tamizar la harina y el cacao en un cuenco y, con movimientos envolventes, mezclar con la salsa de chocolate, los huevos y las nueces. Remover hasta que estén bien mezclados y poner en el molde. Cubrir con dos capas de papel de hornear y atar con una cuerda. Cubrir con papel de aluminio y poner al baño María, hasta que la masa haya subido y esté firme.
3 Fundir el chocolate blanco con la nata para hacer una salsa. Desmoldarlo y servir con la salsa.

• Si se divide en 8 porciones cada una contiene: 774 kcal, 8,6 g de proteínas, 61,2 g de carbohidratos, 56,7 g de grasa, 28,7 g de grasas saturadas, 1,8 g de fibra, 41,9 g de azúcar añadido, 0,70 g de sal.

¡Este es tu postre: remojado en mucho coñac,
Tía María y café, todo en uno!

Bizcocho borracho de chocolate

250 g de queso mascarpone
300 ml de nata líquida
25 g de azúcar glasé
3 cucharadas de café instantáneo, disolver en 85 ml de agua caliente y dejar enfriar
1 cucharada de azúcar extrafino
2 cucharadas de coñac
14 melindros
85 g de chocolate negro, troceado
2 cucharadas de ron añejo
12 galletas amaretti, partidas por la mitad
2 cucharadas de licor Tía María
25 g de almendras sin piel, tostadas y troceadas para decorar

40 minutos, más el tiempo de refrigerarlo • 3 porciones

1 Batir el queso con la nata, el azúcar y 50 ml de café, y refrigerarlo. Calentar el azúcar con el café restante hasta que se disuelva y dejar enfriar.
2 Dividir el almíbar de café en tres partes. En un plato llano, verter el coñac en una tercera parte del almíbar y empapar 7 melindros. Colocarlos en un plato. Cubrir con la crema de café y espolvorear chocolate. Mezclar otra tercera parte del almíbar con el ron, impregnar las galletas y ponerlas sobre el chocolate. Cubrir con crema de café y chocolate.
3 Mezclar el almíbar restante con el licor Tía María, empapar más melindros y cubrir la capa de chocolate. Añadir la crema de café y refrigerar 24 horas. Servir con las almendras y el chocolate.

• Cada porción contiene: 674 kcal, 6 g de proteínas, 49 g de carbohidratos, 48 g de grasa, 26 g de grasas saturadas, 1 g de fibra, 31 g de azúcar añadido, 0,7 g de sal.

Una irresistible combinación de merengue crujiente y natillas suaves.

Islas flotantes de chocolate

600 ml de leche
1 vaina de vainilla, cortada a lo largo y con las semillas raspadas
la yema de 6 huevos grandes
100 g de azúcar extrafino
chocolate negro, rallado, para decorar

PARA LOS MERENGUES
la clara de 2 huevos grandes
50 g de azúcar extrafino
1 cucharada de cacao en polvo tamizado

50-60 minutos, más el tiempo de enfriarse y refrigerarlo (opcional)
• 6 raciones

1 Calentar en una cazuela antiadherente la leche, la vainilla y las semillas a fuego suave 5 minutos. Batir las yemas y el azúcar hasta que espesen, verter poco a poco la leche e ir batiendo. Añadimos la leche y removemos a fuego lento 10 minutos, hasta que esten hechas las natillas. Colar, tapar con film y dejar enfriar.
2 Batir las claras a punto de nieve y añadir el azúcar en tres tandas. Agregar el cacao y batir. Poner en seis tazas de té y meter en el microondas, de una en una, a temperatura alta, hasta que estén firmes, y dejar enfriar.
3 Dividir las natillas en seis vasos. Voltear cada merengue en la palma de la mano y escurrirlo sobre las natillas. Servir o refrigerar hasta una hora. Decorar con el chocolate rallado y servir.

• Cada ración contiene: 232 kcal, 8,1 g de proteínas, 31,8 g de carbohidratos, 8,9 g de grasa, 3,1 g de grasas saturadas, 0,2 g de fibra, 31,2 g de azúcar añadido, 0,21 g de sal.

Una delicia muy sencilla de elaborar que no hay que cocinar, y que puede prepararse por la mañana y saborearse por la tarde.

Pastel de chocolate y frutos secos

400 g de chocolate negro, troceado
100 g de mantequilla cortada en dados
50 g de azúcar extrafino
½ cdta, de canela molida
225 g de galletas de coco, troceadas
100 g de nueces de macadamia, ligeramente troceadas
coco seco, rallado para decorar

20 minutos, más el tiempo de refrigerarlo • 8 porciones

1 Forrar un molde rectangular de 900 g con una capa doble y abundante de film. Fundir el chocolate, la mantequilla y el azúcar al baño María (o en el microondas, a temperatura media, 2-3 minutos). Retirar el cuenco de la cazuela y agregar la canela, las galletas y los frutos secos.
2 Volcar la mezcla en el molde y cubrir con el film restante. Refrigerar 2 horas para que se asiente.
3 Retirar el papel de la parte superior del pastel, volcarlo sobre un plato, quitar el resto del papel y decorar con el coco rallado.

• Cada porción contiene: 759 kcal, 9 g de proteínas, 73 g de carbohidratos, 50 g de grasa, 22 g de grasas saturadas, 3 g de fibra, 70 g de azúcar añadido, 0,32 g de sal.

Un tentador postre de verano muy rápido de preparar, ideal para una cena improvisada en cualquier período del año.

Bayas heladas con chocolate

500 g de bayas mezcladas congeladas (zarzamoras, arándanos, frambuesas y grosellas rojas)

PARA LA SALSA
150 ml de nata líquida
140 g de chocolate blanco
1 cucharada de ron blanco (opcional)

15 minutos • 4 raciones

1 Para preparar la salsa, verter la nata sobre un cazo y agregar el chocolate troceado. Calentar a fuego lento, sin dejar de remover hasta que el chocolate se funda y se obtenga una salsa, procurando no calentar el chocolate en exceso para evitar los grumos. Retirar del fuego, verter el ron (si se utiliza) y remover.
2 Poner las bayas congeladas en cuatro platos de postre. Rociar la salsa de chocolate caliente sobre las frutas y servir inmediatamente. El calor de la salsa hará que las frutas empiecen a descongelarse y estén jugosas.

• Cada ración contiene: 377 kcal, 5 g de proteínas, 28 g de carbohidratos, 28 g de grasa, 11 g de grasas saturadas, 3 g de fibra, 17 g de azúcar añadido, 0,14 g de sal.

Este postre es el pudin perfecto cuando no se dispone de mucho tiempo, porque no se ha de cocinar y requiere ingredientes ya preparados.

Trifles de dulce de leche

6 cucharadas de zumo de fruta tropical
2 cucharadas de ron añejo o coñac
2 plátanos pelados y cortados en rodajas
8 trozos finos de bizcocho esponjoso
4 cucharadas colmadas de dulce de leche
250 g de queso mascarpone
250 ml de natillas
un trozo de chocolate para servir

20 minutos, más el tiempo de refrigerarlo • 4 raciones

1 Mezclar en una fuente el zumo de fruta y el ron, agregar los plátanos y remover. Hacer un sándwich con los trozos de bizcocho y la salsa de chocolate, cortarlo en cuadrados y ponerlos en el fondo de cuatro vasos de cristal. Cubrir con la mezcla de los plátanos y, para formar otra capa, añadir 1 cucharada colmada de dulce de leche.

2 Batir el queso y la natilla hasta obtener una crema y volcarlo sobre los púdines. Pueden refrigerase hasta que estén listos para servir, o un par de horas.

3 Hacer virutas del trozo de chocolate con un pelador de verduras, y repartirlas sobre los trifles y servir.

• Cada ración contiene: 714 kcal, 8,5 g de proteínas, 75 g de carbohidratos, 42,7 g de grasa, 25,1 g de grasas saturadas, 1,1 g de fibra, 58,5 g de azúcar añadido, 0,84 g de sal.

Esta espumosa mousse, muy rápida de elaborar y con pocas calorías, es mucho más tentadora si se prepara con chocolate negro.

Mousse de capuchino

125 g de chocolate negro
1 cucharada de café granulado instantáneo
2 cucharadas de Tía María (licor de café)
la clara de 4 huevos
140 g azúcar extrafino
300 ml nata líquida
cacao en polvo para espolvorear

15 minutos, más el tiempo de refrigerarlo • 6 raciones

1 Fundir el chocolate al baño María. Retirar del fuego y dejar enfriar. Disolver el café en 2 cucharadas de agua hirviendo, añadir el licor y el chocolate, remover.
2 Batir las claras en un cuenco, incorporar poco a poco el azúcar e ir batiendo hasta que espesen. Poner 2 cucharadas de merengue sobre la mezcla de chocolate para que se afloje, agregar el resto de merengue con movimientos envolventes. Poner la mousse en seis tazas de café y refrigerarlas 20 minutos.
3 Montar la nata y disponerla sobre la mousse. Espolvorear con cacao y servir.

• Cada ración contiene: 461 kcal, 5 g de proteínas, 42 g de carbohidratos, 31 g de grasa, 19 g de grasas saturadas, 0,5 g de fibra, 38 g de azúcar añadido, 0,22 g de sal.

Una riquísima merienda para cuando los niños regresan de la escuela; como se prepara en poco tiempo, ellos te pueden ayudar a hacerla.

Cuadraditos crujientes de arándanos ♡

200 g de chocolate negro troceado
200 g de leche condensada
25 g de mantequilla
100 g de nueces de macadamia
75 g de arándanos deshidratados
200 g de nubes pequeñas
50 g de chocolate blanco, troceado

20 minutos, más el tiempo de refrigerarlo • 16 porciones

1 Forrar un molde cuadrado de 23 cm. Fundir el chocolate negro, la leche y la mantequilla en una fuente al baño María (o en el microondas, a temperatura alta, durante 1-1½ minutos), y batir hasta conseguir una crema. Añadir las nueces, los arándanos y las nubes, y remover. Volcar en el molde.

2 Fundir el chocolate blanco al baño María (o en el microondas a temperatura alta durante 30-60 segundos). Remover el chocolate y cubrir la masa. Refrigerar 30 minutos, hasta que el chocolate se haya afianzado. Cortar en cuadraditos y servir.

• Cada cuadradito contiene: 199 kcal, 3 g de proteínas, 24 g de carbohidratos, 11 g de grasa, 5 g de grasas saturadas, 1 g de fibra, 16 g de azúcar añadido, 0,1 g de sal.

Un postre muy sencillo que satisface tanto a adultos como a niños; aunque esta receta está elaborada con frambuesas, puede emplearse cualquier fruta.

Helado de Snickers y frambuesas

1,5 litros de helado de vainilla
2 barras de Snickers
300 g de frambuesas
nata para servir (opcional)

10 minutos, más el tiempo de congelarlo • 6 raciones

1 Para ablandar el helado, ponerlo en el microondas en la posición de descongelar 4 o 5 minutos. Trocear las barras Snickers en pedazos pequeños y prensar la mitad de las frambuesas.
2 Colocar el helado en un cuenco, mezclar con la fruta prensada y con tres cuartas partes de Snickers. Guardar en un recipiente hermético y congelar hasta que tenga una consistencia firme.
3 Para decorar, poner bolas de helado en platos de postre y añadir por encima el resto de frambuesas y de Snickers. Si se desea, agregar un poco de nata.

• Cada ración contiene: 570 kcal, 11 g de proteínas, 73 g de carbohidratos, 28 g de grasa, 18 g de grasas saturadas, 1 g de fibra, 46 g de azúcar añadido, 0,55 g de sal.

Un verdadero pecado tomado de la fondue tradicional, y una manera ideal de acabar una comida informal.

Fondue de chocolate blanco

200 g de chocolate blanco, troceado
50 g de mantequilla sin sal, cortada en dados
150 ml de nata líquida
1 cucharadita de extracto de vainilla
250 g de cerezas o de zarzamoras heladas
250 g de fresas heladas

15 minutos • 4 raciones

1 Mezclar el chocolate, la mantequilla, la nata y la vainilla en un cuenco al baño María. Calentar 5 minutos, removiendo de vez en cuando hasta que los ingredientes estén fundidos.
2 Pasar a un recipiente de fondue o a una cazuela caliente, y servir con las cerezas o las zarzamoras y las fresas para cubrirlas.

• Cada porción contiene: 577 kcal, 6 g de proteínas, 40 g de carbohidratos, 45 g de grasa, 26 g de grasas saturadas, 1 g de fibra, 24 g de azúcar añadido, 0,17 g de sal.

Una magdalena con una delicia de chocolate que se convertirá en uno de los postres favoritos de la familia.

Magdalena con chocolate caramelizado

50 g de una tableta de chocolate caramelizado, troceada
2 cucharadas de nata líquida
2 magdalenas de chocolate
2 bolas de helado de vainilla

15 minutos • 2 raciones

1 Colocar los trozos de chocolate caramelizado y la nata en una cazuela, y fundir a fuego lento sin dejar de remover hasta conseguir una textura homogénea. Retirar del fuego.

2 Sacar un trocito de masa del centro de cada magdalena y rellenarlo con una bola de helado. Decorar con la salsa de chocolate caramelizado y servir de inmediato.

• Cada magdalena contiene: 486 kcal, 6,7 g de proteínas, 52,3 g de carbohidratos, 29,3 g de grasa, 16,1 g de grasas saturadas, 0,6 g de fibra, 38,8 g de azúcar añadido, 0,43 g de sal.

Convierte las galletas tipo *digestive* en un placer ácido que puede servirse tibio o frío.

Copas de tarta de queso y chocolate

50 g de chocolate negro o con leche, troceado
la corteza rallada y la pulpa troceada de 2 naranjas
4 cucharadas de azúcar glasé
200 g de queso cremoso (tipo Philadelphia)
4 galletas tipo *digestive*, algo machacadas

20 minutos, más el tiempo de refrigerarla (opcional) • 4 raciones

1 Fundir el chocolate al baño María (o en el microondas, a temperatura alta, 2 minutos) y remover a mitad del proceso. Agregar la mitad de la corteza de naranja y reservar.
2 Batir el azúcar con el queso y añadir con movimientos envolventes las piezas de naranja. Dividir las galletas machacadas entre cuatro tazas y volcar la mezcla de queso. Rociar la salsa de chocolate, añadir por encima la corteza restante y servir. Este postre se puede comer al momento; pero para darle un toque crujiente, se puede refrigerar.

• Cada ración contiene: 314 kcal, 7 g de proteínas, 44 g de carbohidratos, 13 g de grasa, 7 g de grasas saturadas, 2 g de fibra, 35 g de azúcar añadido, 0,81 g de sal.

Una receta en la que no hay que cocinar porque se utiliza bizcocho y natillas ya preparados, y cuyo sabor es igual de extraordinario que el aspecto.

Trifle de chocolate y melocotón

150 ml de nata montada
500 g de natillas
la corteza y el zumo de 1 naranja grande
4 cucharadas de licor Cointreau
1 bizcocho esponjoso
6 melocotones o nectarinas, sin hueso y cortados en rodajas finas
50 g de chocolate negro rallado
azúcar glasé para espolvorear

30 minutos, más el tiempo de refrigerarlo (opcional) • 6 porciones

1 Montar la nata hasta que esté firme y añadirla, con movimientos envolventes, a las natillas. Rallar la corteza de la naranja y agregarla a las natillas. Exprimir el zumo de naranja y mezclarlo con el licor.

2 Cortar el bizcocho en dados, disponerlos en un bol de cristal y rociar la mezcla del zumo de naranja. Añadir la mitad de las rodajas de fruta y el chocolate rallado sobre el pastel. Volcar las natillas, colocar encima la fruta restante y espolvorear el azúcar glasé. Servir al momento o cubrir y refrigerar hasta que vaya a servirse.

• Cada porción contiene: 571 kcal, 8 g de proteínas, 66 g de carbohidratos, 24 g de grasa, 14 g de grasas saturadas, 3 g de fibra, 34 g de azúcar añadido, 0,69 g de sal.

Un pudin rápido de hacer y delicioso tanto frío como caliente; recién salido del horno, es una maravilla.

Púdines de chocolate ligero y negro

100 g de chocolate negro de tableta, troceado
100 g de mantequilla cortada en dados
3 huevos grandes
85 g de azúcar extrafino
50 g de harina
12 trozos de chocolate con leche
sal marina Maldon (opcional)

20-25 minutos • 6 raciones

1 Precalentar el horno a 200 °C. Engrasar seis moldes de 150 ml y cubrirlos con un poco de harina.
2 Fundir el chocolate y la mantequilla en el microondas, a temperatura media, 2-3 minutos, y remover a mitad del proceso.
3 Batir los huevos y el azúcar hasta que estén espesos. Agregar la harina y el chocolate deshecho.
4 Poner la mezcla en los moldes y añadir 2 onzas de chocolate con leche en el centro de cada molde. (Antes de hornear, pueden reservarse hasta 2 horas.)
5 Hornearlos 12 minutos exactos. Dejar enfriar 5 minutos, desmoldarlos y, si se desea, espolvorear una pizca de sal marina.

• Cada porción contiene: 396 kcal, 7 g de proteínas, 34 g de carbohidratos, 27 g de grasa, 15 g de grasas saturadas, 1 g de fibra, 24 g de azúcar añadido, 0,39 g de sal.

Si se prefieren las galletas de frutos secos a las de jenjibre, puede sustituirse este ingrediente por la misma cantidad del fruto seco favorito.

Galletas con chips de chocolate y jengibre

225 g de mantequilla ablandada
85 g de azúcar mascabado o azúcar moreno ligero
250 g de harina con levadura
2 cucharadas de almíbar dorado
1 cucharadita de extracto de vainilla
100 g de chocolate negro, troceado
50 g de jengibre en conserva o cristalizado, troceado

25-30 minutos, más el tiempo de enfriarse y refrigerarlo • 20 galletas

1 Engrasar y forrar dos bandejas grandes. Batir la mantequilla y el azúcar hasta que adquieran un color pálido y cremoso, y añadir el resto de ingredientes para hacer una masa suave. Estirar la pasta, realizar círculos del tamaño de una nuez y repartirlos en las bandejas. Refrigerar 30 minutos.

2 Precalentar el horno 200 ºC.

3 Cocer las galletas hasta que estén doradas, y el centro, algo blando. Dejarlas en las bandejas hasta que estén firmes, y sacarlas para que se enfríen por completo.

• Cada galleta contiene: 169 kcal,1 g de proteínas, 20 g de carbohidratos, 10 g de grasa, 6 g de grasas saturadas, 1 g de fibra, 11 g de azúcar añadido, 0,28 g de sal.

¡Gracias al yogur desnatado, al ingerir este postre, te sentirás menos culpable y lo disfrutarás!

Tazas de chocolate semifreddo

340 g de salsa de chocolate envasada
2 cucharadas de coñac
2 cucharadas de café solo
100 g de galletas tipo lengua de gato, troceadas
300 ml de yogur griego desnatado
1 cucharada de cacao en polvo para servir

10 minutos, más el tiempo de congelarlas • 4 raciones

1 Verter la salsa de chocolate en un cuenco grande y colocarlo en el microondas, a temperatura alta, 10 segundos, hasta que esté uniforme (o calentar ligeramente en un cazo). Batirlo para que se ablande un poco más. Mezclar el coñac y el café con las galletas, incorporar en la salsa y remover.
2 Agregar el yogur a la salsa de chocolate. Removerlo con movimientos envolventes hasta conseguir un mármol de chocolate.
3 Volcar sobre cuatro tazas de café o cuatro moldes de flan y congelar 1 hora. Espolvorear con el cacao y servir.

• Cada porción contiene: 384 kcal, 11 g de proteínas, 34 g de carbohidratos, 22 g de grasa, 11 g de grasas saturadas, 1 g de fibra, 13 g de azúcar añadido, 0,75 g de sal.

Una manera de servir con estilo las fondues individuales, aunque también se puede servir en una fuente para compartir.

Fondue de mármol de chocolate

225 g de chocolate con leche, troceado
6 cucharadas de leche
50 g de chocolate blanco, troceado
2 plátanos pequeños, pelados y cortados en trocitos
2 nectarinas partidas por la mitad, sin el hueso y cortadas en cuña
225 g de fresas

20-30 minutos • 4 raciones

1 Fundir el chocolate con leche y la leche en el microondas 2-3 minutos o al baño María, y remover hasta lograr una crema. Verter sobre cuatro tazas o en cuencos pequeños colocados sobre platos.

2 Derretir el chocolate blanco de la misma forma que con el otro chocolate, pero sin la leche. Poner un poco de chocolate blanco en cada taza y, con un pincho o con la punta de un cuchillo, agitar para darle el aspecto del mármol. Añadir las frutas en los platos y servir al momento.

• Cada ración contiene: 408 kcal, 7 g de proteínas, 54 g de carbohidratos, 20 g de grasa, 9 g de grasas saturadas, 2 g de fibra, 29 g de azúcar añadido, 0,18 g de sal.

Este tiramisú descremado hará las delicias de quienes adoran los púdines, pero no el efecto que producen en su silueta.

Tiramisú de arándanos

- 2 huevos, separadas las claras de las yemas
- 75 g de azúcar extrafino
- 500 g de queso fresco tipo quark
- 3 cucharadas de leche descremada
- 2 cucharaditas de extracto de vainilla
- 5 cucharadas de licor de café (tipo Tía María o Kahlúa)
- 4 cucharadas de café solo frío
- 120 g de melindros partidos por la mitad
- 75 g de chocolate negro, rallado
- 125 g de arándanos

30 minutos, más el tiempo de refrigerarlo • 4 raciones

1 Batir las yemas y el azúcar hasta que la mezcla esté cremosa. Batir las claras casi a punto de nieve. Batir aparte el queso, la leche y la vainilla, y mezclar con movimientos envolventes en las yemas. Agregar las claras a punto de nieve y envolver con suavidad.

2 Mezclar el licor y el café en una fuente, y remojar los melindros durante 20 segundos. Colocar una capa de melindros en la base de los vasos de postre, añadir un poco de chocolate rallado e incorporar unos arándanos.

3 Volcar un poco de la mezcla de queso, poner otra capa de melindros, añadir de nuevo chocolate y arándanos, y cubrir la última capa de queso. Cubrir con el chocolate rallado, refrigerar 30 minutos y servir.

• Cada ración contiene: 491 kcal, 25 g de proteínas, 54 g de carbohidratos, 16 g de grasa, 6 g de grasas saturadas, 1 g de fibra, 39,7 g de azúcar añadido, 0,54 g de sal.

Lo último en comida para niños, quienes, como se prepara en unos minutos, no tendrán que esperar.

Banana splits

4 plátanos
4 bolas de helado de vainilla
4 cucharadas de salsa de chocolate
2 cucharadas de almendras tostadas
y laminadas

10 minutos • 4 raciones

1 Pelar los plátanos y cortarlos por la mitad longitudinalmente. Colocar dos trozos superpuestos en cada uno de los tres platos y poner encima una bola de helado.
2 Rociar la salsa de chocolate y repartir las almendras. Servir de inmediato.

• Cada ración contiene: 418 kcal, 8 g de proteínas, 61 g de carbohidratos, 17 g de grasa, 7 g de grasas saturadas, 2 g de fibra, 56 g de azúcar añadido, 0,23 g de sal.

Un clásico rápido de elaborar que puede conservarse congelado durante 3 meses... ¡si se aguanta la tentación!

Pastel congelado de chocolate y avellanas

175 g de chocolate negro, troceado
175 g de mantequilla cortada en dados
2 cucharadas de almíbar dorado
100 g de galletas digestivas machacadas
85 g de avellanas tostadas y troceadas
85 g de cerezas glasé
85 g de pasas
25 g de un tallo de jengibre, troceado (opcional)

15 minutos, más el tiempo de refrigerarse y congelarlo (opcional)
• 8 porciones

1 Forrar un molde rectangular. Fundir el chocolate y la mantequilla al baño María. Retirar del fuego, agregar el resto de ingredientes y remover. Volcar la mezcla en el molde y refrigerarlo 4 horas, o cubrir con papel de aluminio y conservarlo congelado un máximo de 3 meses.
2 Servirlo cortado en porciones (si el pastel está congelado, dejarlo toda la noche en el frigorífico).

• Cada porción contiene: 466 kcal, 4 g de proteínas, 41 g de carbohidratos, 33 g de grasa, 16 g de grasas saturadas, 2 g de fibra, 22,7 g de azúcar añadido, 0,6 g de sal.

Un maravilloso postre ligero que se monta en un momento y que al no contener huevos, podrá probar todo el mundo.

Mousse cremosa de chocolate

150 g de chocolate con leche
300 ml de nata líquida
virutas de chocolate con leche para decorar

15 minutos, más el tiempo de enfriarse y congelarlo • 4 raciones

1 Trocear el chocolate y fundirlo al baño María. Retirarlo y dejar que se enfríe un poco.
2 Montar la nata hasta que adquiera consistencia, retirarla y reservar 4 cucharadas Envolver el chocolate derretido en el resto de nata montada y dividirlo entre las cuatro copas de servir. Cubrir con la nata reservada y repartir por encima las virutas de chocolate con leche. Refrigerarlo hasta servir.

• Cada ración contiene: 589 kcal, 4,6 g de proteínas, 27,1 g de carbohidratos, 52,1 g de grasa, 29,7 g de grasas saturadas, 0,4 g de fibra, 27,1 g de azúcar añadido, 0,14 g de sal.

Los arándanos deshidratados y los pistachos aportan un sabor especial a los brownies de chocolate, por lo que puede ser un regalo navideño con sabor casero.

Brownies de pistachos y arándanos

300 g de chocolate negro (con 50 % de cacao), troceado
225 g de mantequilla cortada en dados
280 g de azúcar mascabado
1 cucharada de zumo de arándanos o de leche
4 huevos
225 g de harina
½ cucharadita de canela molida
75-80 g de arándanos deshidratados
100 g de pistachos cortados en trocitos
azúcar glasé para espolvorear (opcional)

45-55 minutos, más el tiempo de enfriarse • 18 brownies

1 Precalentar el horno a 180 °C. Engrasar y forrar un molde. Fundir el chocolate con la mantequilla, el azúcar y el zumo o la leche, sin dejar de remover hasta que esté bien mezclado. Dejar enfriar y batir los huevos de uno en uno. Poner la levadura, la canela y los arándanos, y revolver con movimientos envolventes.

2 Verter la mitad de la mezcla en el molde, añadir los pistachos y el resto de la mezcla, y cocer 25-30 minutos. Aún caliente, cortar la masa en cuadrados. Dejar enfriar y espolvorear el azúcar glasé, si se utiliza.

• Cada porción contiene: 333 kcal, 5 g de proteínas, 39 g de carbohidratos, 18 g de grasa, 9 g de grasas saturadas, 1 g de fibra, 27 g de azúcar añadido, 0,3 g de sal.

Gracias a la insuperable combinación del chocolate y la naranja, se obtiene un pastel ligero con un exquisito toque de acidez.

Bizcocho cubierto de naranja y chocolate

PARA EL BIZCOCHO
140 g de mantequilla ablandada
225 g de harina con levadura
1½ cucharadita de levadura
225 g de azúcar rubio extrafino
3 huevos grandes
6 cucharadas de leche
corteza finamente rallada de 1 naranja grande

PARA LA COBERTURA
3 cucharadas de zumo de naranja
50 g de azúcar rubio extrafino
50 g de chocolate negro, troceado

1 hora 15 minutos, más el tiempo de enfriarse y asentarlo • 8-10 porciones

1 Precalentar el horno a 180 °C. Engrasar y forrar un molde rectangular. Poner todos los ingredientes del bizcocho en una fuente y batir hasta obtener una masa ligera. Volcarla en el molde y cocer hasta que esté dorada y firme.
2 Calentar el zumo de naranja y el azúcar a fuego suave, sin dejar de remover hasta que esté disuelto. Sacar el bizcocho del horno y añadir la mezcla del zumo. Dejar enfriar en el molde, desmoldarlo y dejarlo enfriar por completo.
3 Fundir el chocolate al baño María (o en el microondas, a fuego medio, 1-2 minutos). Cubrir el pastel y dejar que se asiente antes de cortar las porciones.

• Si se corta en 8 porciones, cada porción contiene: 410 kcal, 5,9 g de proteínas, 57,2 g de carbohidratos, 19,2 g de grasa, 10,9 g de grasas saturadas, 0,9 g de fibra, 38,2 g de azúcar añadido, 0,88 g de sal.

Si se desea algo sofisticado para acompañar el café, vale la pena dedicar un poco más de tiempo en la elaboración de este pastelillo irresistible.

Pastelillo relleno de crema

100 g de mantequilla cortada en dados
300 ml de agua
140 g de harina tamizada
4 huevos grandes, batidos un poco con un tenedor

PARA EL RELLENO
580 ml de nata líquida
1 cucharada de azúcar extrafino
1 vaina de vainilla, partida a lo largo y con las semillas retiradas

PARA EL GLASEADO
una nuez de mantequilla
100 g de chocolate negro fundido

50 minutos, más el tiempo de enfriarse y asentarlo • 20 pastelillos

1 Precalentar el horno a 200 ºC. Engrasar dos bandejas. Llevar a ebullición la mantequilla y el agua. Dejar caer la harina, retirar del fuego y batir hasta lograr una crema. Dejar enfriar 5 minutos. Agregar los huevos poco a poco e ir batiendo, hasta que la pasta esté uniforme.

2 Introducir la masa en una manga pastelera con una boquilla de 2 cm y hacer en las bandejas 20 tiras de pasta de unos 8 cm de largo. Cocer 25-30 minutos. Cortar cada pastelillo y poner en el horno hasta que estén crujientes. Dejar enfriar.

3 Batir la nata con el azúcar y las semillas de la vainilla hasta que empiece a montar, y rellenar los bollos.

4 Para el glaseado, unir la mantequilla al chocolate fundido y dejar que espese. Verter sobre los pastelillos y dejar que se asiente.

• Cada unidad contiene: 243 kcal, 3 g de proteínas, 10 g de carbohidratos, 22 g de grasa, 13 g de grasas saturadas, 4 g de azúcar añadido, 0,17 g de sal.

El sabor refrescante del té Lady Grey, con sus infusiones de naranja, limón y bergamota da un toque sofisticado a estas galletas.

Galletas Lady Grey

140 g de mantequilla ablandada
100 g de azúcar mascabado
2 cucharadas de hojas de té Lady Grey
50 g de chocolate negro, finamente troceado
1 huevo grande batido
200 g de harina

PARA EL GLASEADO
140 g de azúcar glasé
2 cucharadas de infusión de té Lady Grey colado

35 minutos, más el tiempo de refrigerarlo, enfriarse y asentarse • 40 galletas

1 Batir la mantequilla y el azúcar. Incorporar las hojas de té, el chocolate y los huevos, dejar caer la harina y remover con movimientos envolventes. Dar a la masa forma de salchicha de unos 25 cm, envolverla en film y refrigerar hasta que esté firme.
2 Precalentar el horno a 190 °C y engrasar dos bandejas.
3 Cortar la masa en trozos de unos 5 mm de grosor. Ponerlos en la bandeja, dejando un espacio entre ellos, y cocer hasta que estén dorados. Sacar y dejar enfriar.
4 Para el glaseado, tamizar el azúcar sobre un cuenco y batirlo con el té, hasta conseguir un glaseado suave. Rociarlo sobre las galletas y dejar que se asiente.

• Cada galleta contiene: 77 kcal, 0,9 g de proteínas, 11,1 g de carbohidratos, 3,5 g de grasa, 2,1 g de grasas saturadas, 0,2 g de fibra, 7 g de azúcar añadido, 0,06 g de sal.

Los crujientes de coco esconden en su interior un maravilloso pastel de chocolate suave y ligero.

Cuadraditos de chocolate cubiertos de coco

100 g de mantequilla ablandada
100 g de azúcar extrafino
2 huevos grandes batidos
140 g de harina con levadura
1 cucharadita de levadura
2 cucharadas de cacao en polvo
2 cucharadas de leche
100 g de coco seco para la cobertura

PARA EL GLASEADO
100 g de chocolate negro, troceado
25 g de mantequilla
100 g de azúcar extrafino tamizado

40 minutos, más el tiempo de enfriarse y asentarse • 16 porciones

1 Precalentar el horno a 180 °C. Engrasar y forrar un molde. Batir la mantequilla con el azúcar, hasta que esté cremosa. Agregar los huevos y batir, añadir 1 cucharada de harina en caso de que la mezcla empiece a separarse.
2 Tamizar la harina, la levadura y el cacao sobre la mezcla y remover con movimientos envolventes junto con la leche. Poner en un molde y nivelar la superficie. Cocer hasta que esté esponjosa. Dejar enfriar en el molde.
3 Para el glaseado, fundir el chocolate, la mantequilla y 4 cucharadas de agua en un cazo a fuego suave.
4 Desmoldar y quitar el papel. Cortar en 16 cuadraditos, introducirlos en el glaseado y rebozarlos con el coco. Dejar que el glaseado de los cuadraditos se asiente.

• Cada cuadradito contiene: 225 kcal, 2 g de proteínas, 25 g de carbohidratos, 13 g de grasa, 9 g de grasas saturadas, 1 g de fibra, 18 g de azúcar añadido, 0,34 g de sal.

¡Un pastel exquisito, sencillo y rápido de elaborar que compensa con creces el tiempo de cocción!

Pastel de Nutella y canela

175 g de mantequilla ablandada
175 g de azúcar rubio extrafino
3 huevos grandes batidos
225 g de harina con levadura
1 cucharadita de levadura
2 cucharaditas de canela molida
4 cucharadas de leche
4 cucharadas colmadas de Nutella
50 g de avellanas troceadas

1 hora 30 minutos, más el tiempo de enfriarse • 12 porciones

1 Precalentar el horno a 180 °C. Engrasar y forrar un molde redondo.
2 Unir en una fuente la mantequilla, el azúcar, los huevos, la harina, la levadura, la canela y la leche. Batir con una cuchara de madera o con una batidora eléctrica, hasta que la masa esté ligera.
3 Añadir las tres cuartas partes de la masa al molde, nivelar la superficie y agregar 4 cucharadas de Nutella por encima. Verter la masa restante hacer movimiento giratorios con un pincho. Alisar la superficie y cubrir con la Nutella. Adornar con las avellanas.
4 Cocer hasta que la masa adquiera consistencia. Si empieza a dorarse muy rápido, cubrirlo con papel de aluminio. Dejar que se enfríe en el molde, desmoldar y quitar el papel. Enfriar y cortar en porciones.

• Cada porción contiene: 320 kcal, 5 g de proteínas, 34 g de carbohidratos, 19 g de grasa, 8 g de grasas saturadas, 1 g de fibra, 20 g de azúcar añadido, 0,63 g de sal.

Exquisitas nubes ligeras, ideales para acompañar el café después de una comida.

Nubes de chocolate y nueces de pacana

la clara de 2 huevos grandes
una pizca de sal
120 g de azúcar rubio extrafino
120 g de nueces de pacana, troceadas
150 g de chocolate negro (con 70 % de cacao), troceado
1 cucharadita de extracto de vainilla

20-30 minutos, más el tiempo de enfriarse • 32 nubes

1 Precalentar el horno a 180 °C. Forrar dos bandejas con papel de aluminio.
2 Batir las claras con la sal a punto de nieve. Incorporar poco a poco el azúcar y batir para obtener un merengue con cuerpo. Agregar las nueces, el chocolate y la vainilla, y unir con movimientos envolventes.
3 Con 1 cucharadita colmada de la mezcla, formar nubes en las bandejas, dejando un espacio entre ellas. Hornear, apagar y dejar 3 horas, hasta que el horno esté frío (puede dejarse incluso toda la noche). Separar con cuidado las nubes del papel.

• Cada nube contiene: 66 kcal, 1 g de proteínas, 7 g de carbohidratos, 4 g de grasa, 1 g de grasas saturadas, 0 g de fibra, 7 g de azúcar añadido, 0,06 g de sal.

Un sensacional brownie esponjoso y dulce, que, rociado con salsa de caramelo, quedará irresistible.

Brownies de mármol caramelizado 

150 g de chocolate negro, troceado
175 g de mantequilla cortada en dados
250 g de caramelo cremoso tipo toffee
5 cucharadas de nata líquida
4 huevos grandes
2 cucharaditas de extracto de vainilla
350 g de azúcar extrafino
200 g de harina
1 cucharadita de levadura
100 g de nueces de pacana, troceadas

1 hora 15 minutos, más el tiempo de enfriarse y asentarse • 18 porciones

1 Precalentar el horno a 180 °C. Engrasar y forrar un molde poco hondo. Fundir 100 g de chocolate con la mantequilla y, aparte, los caramelos con la nata.
2 Batir los huevos con la vainilla y remover con el chocolate fundido. Tamizar la harina y la levadura, mezclar y repartir las nueces. Echar la mitad de la mezcla en el molde y cubrir con tres cuartas partes de la salsa de caramelo. Extender el resto de masa y cocer hasta que adquiera consistencia. Dejar enfriar en una rejilla.
3 Calentar de nuevo la salsa y fundir el chocolate restante. Con el extremo de una cucharilla, cubrir el pastel con el caramelo y el chocolate fundido. Antes de cortar, dejar que se asienten la salsa y el chocolate.

• Cada brownie contiene: 369 kcal, 4,1 g de proteínas, 44,5 g de carbohidratos, 20,7 g de grasa, 10,3 g de grasas saturadas, 0,8 g de fibra, 32,7 g de azúcar añadido, 0,41 g de sal.

Delicioso postre de frambuesas, que queda igual de bueno con arándanos o cerezas.

Tarta de chocolate y bayas

400 g de pasta brisa
500 g de queso mascarpone
100 g de azúcar rubio extrafino
100 g de almendras molidas
2 huevos grandes batidos
250 g de frambuesas
100 g de chocolate blanco, troceado

45-50 minutos, más el tiempo de enfriarse y refrigerarlo (opcional) • 16 porciones

1 Precalentar el horno a 160 °C. En una superficie enharinada, estirar la masa hasta que esté bien fina y usarla para forrar un molde. Cubrir con papel de horno y unas judías, y cocer durante 10 minutos. Retirar el papel y las judías, y hornear 5 minutos.

2 Batir el queso mascarpone, el azúcar, las almendras y los huevos hasta que estén bien unidos. Agregar las frambuesas y el chocolate, y mezclar con movimientos envolventes. Echar la mezcla en el molde y hornear hasta que adquiera consistencia y este ligeramente dorada. Apagar el horno y mantener la puerta abierta para que la tarta se vaya enfriando poco a poco. Para que quede perfecta, antes de cortar las porciones, refrigerarla como mínimo 1 hora.

• Cada porción contiene: 314 kcal, 5 g de proteínas, 19 g de carbohidratos, 25 g de grasa, 12 g de grasas saturadas, 2 g de fibra, 13 g de azúcar añadido, 0,18 g de sal.

Unos tentadores brownies de chocolate negro para los amantes del chocolate.

Brownies de chocolate

375 g de chocolate negro, troceado
375 g de mantequilla cortada en dados
500 g de azúcar extrafino
6 huevos
225 g de harina

PARA LA COBERTURA
140 g de chocolate negro, troceado
50 g de mantequilla cortada en dados
azúcar glasé para espolvorear

1 hora 15 minutos, más el tiempo de enfriarse y asentarse • 24 porciones

1 Precalentar el horno a 180 °C. Engrasar y forrar un molde redondo. Fundir el chocolate con la mantequilla al baño María (o en el microondas, a temperatura media, 5 minutos, y remover a mitad del proceso).
2 Batir el azúcar y los huevos. Añadir el chocolate y remover, agregar la harina y batir bien. Echar en el molde y cocer hasta que la superficie tenga textura de papel y parezca que se tambalee. Dejar enfriar en el molde.
3 Para la cobertura, fundir el chocolate con la mantequilla al baño María (o en el microondas, a temperatura media, 1 minuto). Remover hasta que la mezcla esté uniforme y cubrir la masa. Decorar con azúcar glasé, y dejar que se asiente y cortar.

• Cada brownie contiene: 383 kcal, 4 g de proteínas, 40 g de carbohidratos, 24 g de grasa, 14 g de grasas saturadas, 1 g de fibra, 30 g de azúcar añadido, 0,39 g de sal.

Estas galletas de jengibre sin gluten enriquecen el café matutino y también pueden hacerse con harina normal y levadura en polvo.

Galletas de jengibre y chocolate

175 g de harina
1 cucharadita de jengibre rallado
½ cucharadita de levadura en polvo sin gluten
100 g de margarina
50 g de azúcar rubio extrafino
50 g de raíz de jengibre en conserva, finamente troceada
300 g de chocolate negro sin azúcar, fundido

35-40 minutos, más el tiempo de enfriarse, refrigerarlo y asentarse
• 10 galletas

1 Precalentar el horno a 180 °C. Engrasar una bandeja. Tamizar en un cuenco la harina, el jengibre rallado y la levadura. En otro, batir la margarina y el azúcar, hasta hacer una mezcla cremosa. Agregar el jengibre y la harina, y remover para hacer una masa consistente. Envolverla en film y refrigerar 30 minutos.
2 En una superficie ligeramente enharinada, estirar la masa hasta el grosor de una moneda. Marcar 10 círculos con un cortador redondo de 6 cm, introducir el cortador en harina después de cada corte. Poner las galletas a la bandeja. (Si se desean más galletas, estirar de nuevo la masa restante.)
3 Hornear hasta que estén doradas y crujientes. Dejarlas enfriar en una rejilla. Decorar con el chocolate y dejar que se asienten.

• Cada galleta contiene: 341 kcal, 3 g de proteínas, 38 g de carbohidratos, 21 g de grasa, 8 g de grasas saturadas, 2 g de fibra, 17 g de azúcar añadido, 0,29 g de sal.

Uno de los dulces preferidos para acompañar el café.

Bizcocho de albaricoque, nuez de pacana y chips de chocolate

100 g de orejones de albaricoques, troceados
150 ml de zumo de naranja sin azúcar
100 g de mantequilla ablandada
100 g de azúcar mascabado
2 huevos grandes batidos
100 g de almendras molidas
175 g de harina con levadura
3 cucharadas de leche
50 g de chips de chocolate
85 g de nueces de pacana partidas por la mitad
azúcar glasé para espolvorear

1hora 15 minutos-1hora 30 minutos, más el tiempo de enfriarse
• 12 porciones

1 Precalentar el horno a 180 °C. Engrasar y formar un molde rectangular. Hervir los albaricoques con el zumo de naranja 5 minutos a fuego lento y luego dejar enfriar.
2 Batir la mantequilla, el azúcar, los huevos, las almendras, la harina y la leche, hasta conseguir una masa uniforme. Agregar los orejones, los chips de chocolate y las dos terceras partes de las nueces.
3 Volcar en el molde y nivelar la superficie. Repartir el resto de nueces y cocer hasta que, al introducir un pincho en el centro, salga limpio. Dejar enfriar 5 minutos, ponerlo sobre una rejilla y espolvorear el azúcar glasé. Enfriar completamente y servir.

• Cada porción contiene: 307 kcal, 6 g de proteínas, 28 g de carbohidratos, 20 g de grasa, 6 g de grasas saturadas, 2 g de fibra, 16 g de azúcar añadido, 0,36 g de sal.

Este pastel esponjoso de chocolate, servido con helado de vainilla, se convierte en algo sensacional.

Cuadrados esponjosos de chocolate

PARA EL BIZCOCHO
175 g de mantequilla a temperatura ambiente, cortada en dados
225 g de azúcar rubio extrafino
175 g de harina
3 huevos grandes
3 cucharadas de leche
1 cucharadita de levadura en polvo

PARA LA COBERTURA
100 g de chocolate negro, troceado
100 g de azúcar mascabado claro
85 g de frutos secos, troceados
1 cucharadita de canela molida

1 hora-1hora 15 minutos, más el tiempo de enfriarse • 15 porciones

1 Precalentar el horno a 180 °C. Engrasar y forrar un molde. Colocar los ingredientes para el bizcocho en una fuente y batirlos con una batidora eléctrica, hasta obtener una masa cremosa y uniforme. Volcarla en el molde uniformemente, cubriendo todas las esquinas.
2 Para la cobertura, cubrir con el chocolate troceado la masa. Mezclar el resto de ingredientes, repartirlos sobre el chocolate y prensarlos un poco para que la mezcla se compacte. Cocer hasta que haya subido. Dejar enfriar en el molde y cortar en cuadrados.

• Cada porción contiene: 294 kcal, 4 g de proteínas, 35 g de carbohidratos, 16 g de grasa, 8 g de grasas saturadas, 1 g de fibra, 25 g de azúcar añadido, 0,39 g de sal.

El chocolate blanco aporta a estas magdalenas un sabor muy suave, pero también pueden prepararse con chocolate con leche.

Magdalenas rellenas de chocolate y cerezas

250 g de harina con levadura
1 cucharadita de bicarbonato de soda para bollería
140 g de cerezas ácidas secas
100 g de chocolate blanco de tableta, troceado
100 g de chocolate negro de tableta, troceado
100 g de azúcar rubio extrafino
2 huevos grandes batidos
150 ml de yogur natural
100 g de mantequilla fundida

30 minutos, más el tiempo de enfriarse • 12 magdalenas

1 Precalentar el horno a 200 °C. Forrar un molde para 12 magdalenas con vasitos de papel. Tamizar la harina y el gasificante, añadir las cerezas, el chocolate y el azúcar, y remover. Incorporar los huevos, el yogur y la mantequilla, y mezclar. Si la masa tiene un aspecto grumoso, no hay que preocuparse: es importante no mezclarla demasiado, para que las magdalenas salgan esponjosas.
2 Rellenar los vasitos de papel y hornear hasta que la masa haya subido y esté dorada. Enfriar en una rejilla. Si se consumen tibias, resultan deliciosas.

• Cada magdalena contiene: 386 kcal, 5 g de proteínas, 45 g de carbohidratos, 13 g de grasa, 6 g de grasas saturadas, 1 g de fibra, 18 g de azúcar añadido, 0,73 g de sal.

Los Lamingtons son una especialidad australiana que combina el chocolate, la crema de vainilla y el coco con un resultado sorprendente.

Lamingtons

6 huevos grandes
140 g de azúcar extrafino
225 g de harina con levadura
5 cucharadas de agua caliente
25 g de mantequilla fundida

PARA LA CREMA DE VAINILLA
250 g de azúcar glasé tamizado
1 cucharadita de extracto de vainilla
50 g de mantequilla ablandada
2 cucharaditas de leche

PARA EL GLASEADO
300 g de azúcar glasé
4 cucharadas de cacao en polvo
25 g de mantequilla
125 ml de leche
140 g de coco seco

1 hora 30 minutos, más el tiempo de enfriarse y asentarse • 16 porciones

1 Precalentar el horno a 180 °C. Engrasar un molde cuadrado. Batir los huevos y el azúcar hasta espesarlos. Incorporar la harina, el agua y la mantequilla, y remover. Verter la mezcla sobre el molde y cocer hasta que tenga cuerpo. Dejar enfriar en una rejilla.
2 Batir los ingredientes de la crema hasta obtener una masa cremosa. Cortar el bizcocho en 16 cuadrados, y estos por la mitad horizontalmente, con la crema en medio.
3 Para el glaseado, tamizar el azúcar y el cacao. Fundir la mantequilla y calentar la leche en el microondas a temperatura alta. Cubrir los cuadrados con la mezcla de azúcar, escurrirlos y decorar con el coco. Dejar toda la noche para que el glaseado se asiente.

• Cada porción contiene: 360 kcal, 4,8 g de proteínas, 57 g de carbohidratos, 14,1 g de grasa, 9 g de grasas saturadas, 1,8 g de fibra, 46,4 g de azúcar añadido, 0,33 g de sal.

Para los puristas, estos brownies serán el paraíso, porque el chocolate no lleva aditivos.

Los mejores brownies

185 g de chocolate negro, troceado
185 g de mantequilla sin sal, cortada en dados
3 huevos grandes
275 g de azúcar rubio extrafino
85 g de harina
40 g de cacao en polvo
50 g de chocolate blanco, troceado
50 g de chocolate con leche, troceado

1 hora, más el tiempo de enfriarse
• 32 triángulos

1 Precalentar el horno a 180 °C. Engrasar y forrar un molde cuadrado.
2 Fundir el chocolate junto con la mantequilla y dejar enfriar. Batir los huevos y el azúcar hasta que espesen. Verter el chocolate atemperado y remover con movimientos envolventes. Tamizar encima la harina y el cacao, y remover del mismo modo. Agregar el chocolate troceado y mezclar.
3 Poner en el molde y cocer durante 25 minutos, hasta que la corteza esté brillante y se separe de las paredes. Cuando esté fría, desmoldar. Cortar en cuartos; luego, en cuatro cuadrados; y, por último, en triángulos.

• Cada triángulo contiene: 144 kcal, 2 g de proteínas, 17 g de carbohidratos, 8 g de grasa, 5 g de grasas saturadas, 0,5 g de fibra, 14 g de azúcar añadido, 0,06 g de sal.

Estas galletas requieren tiempo; por tanto, es mejor hacerlas por la mañana a fin de que estén listas para el café de la tarde.

Crujientes de chocolate y coco

la clara de 1 huevo
225 g de azúcar extrafino
4 cucharadas de harina
225 g de coco fresco rallado (1 coco aproximadamente)
150 g de chocolate negro, troceado

50 minutos, más el tiempo de enfriarse y asentarse • 12 galletas

1 Precalentar el horno a 180 °C. Forrar una bandeja. Batir la clara de huevo a punto de nieve e ir añadiendo poco a poco el azúcar sin dejar de batir, hasta que espese. Tamizar la harina sobre la clara, agregar el coco y remover con movimientos envolventes, hasta que esté mezclado.
2 Con una cuchara colmada, poner 12 montoncitos de masa en la bandeja, prensar y cortar con un cortador cilíndrico de 8 cm (quizá haya que hacer este paso en dos tandas). Hornear hasta que los bordes estén dorados y empiecen a coger color en el centro. Dejar enfriar y pasar a una rejilla.
3 Fundir el chocolate al baño María (o en el microondas). Dejar enfriar un poco y cubrir cada galleta. Refrigerar para que el chocolate se asiente y servir.

• Cada galleta contiene: 206 kcal, 2 g de proteínas, 30 g de carbohidratos, 10 g de grasa, 7 g de grasas saturadas, 2 g de fibra, 26 g de azúcar añadido, 0,03 g de sal.

Estas sabrosas barritas son ideales para una comida campestre o para acompañar el café.

Barritas de chocolate con sirope de caramelo

140 g de mantequilla cortada en dados
2 huevos grandes
350 g de azúcar mascabado claro
2 cucharaditas de extracto de vainilla
250 g de harina con levadura
100 g de chocolate con leche, cortado en trozos grandes
100 g de nueces de macadamia o pacanas, troceadas
azúcar glasé para espolvorear

40-50 minutos, más el tiempo de enfriarse • 12 barritas

1 Precalentar el horno a 180 °C. Engrasar un molde poco hondo.
2 Fundir la mantequilla y dejar enfriar 5 minutos. Batir los huevos, añadir la mantequilla, el azúcar y la vainilla, y dejar caer la harina. Agregar los trozos de chocolate y tres cuartas partes de los frutos secos, y remover.
3 Poner la mezcla en el molde y repartir las nueces restantes por encima. Cocer 25-30 minutos y cortar en 12 barras. Dejar enfriar y, antes de servir, espolvorear el azúcar glasé.

• Cada barrita contiene: 387 kcal, 5 g de proteínas, 49 g de carbohidratos, 20 g de grasa, 8 g de grasas saturadas, 2 g de fibra, 35 g de azúcar añadido, 0,03 g de sal.

Apetitosas barritas de chocolate, cuyos ingredientes son muy saludables.

Barritas de chocolate con naranja

250 g de mantequilla, cortada en dados
250 g de azúcar extrafino
175 g de almíbar dorado
la corteza rallada de 2 naranjas
425 g de copos de avena
100 g de pasas
100 g de orejones de albaricoque troceados
2 cucharadas de semillas de girasol
50 g de chocolate negro, troceado
75 g de chocolate negro, fundido

40-45 minutos, más el tiempo de enfriarse y asentarse • 14 barritas

1 Precalentar el horno a 180 °C. Engrasar y forrar con aceite un molde poco hondo.
2 Fundir a fuego suave la mantequilla, el azúcar y el almíbar con la corteza, removiendo de vez en cuando. Retirar del fuego y agregar la avena, las pasas, los albaricoques y las semillas. Dejar enfriar un poco, incorporar llos chips de chocolate y verter en el molde. Nivelar la superficie y cocer hasta que adquiera un color dorado. Marcar 14 barritas, sin sacarlas del molde, hasta que estén casi frías. Volcarlas en una tabla de cocina.
3 Retirar el papel y separar las barritas. Introducir el chocolate en una manga pastelera y cubrir las barras, o decorar con una cucharilla. Dejar asentar el chocolate y servir.

• Cada barrita contiene: 448 kcal, 5 g de proteínas, 65 g de carbohidratos, 20 g de grasa, 12 g de grasas saturadas, 3 g de fibra, 34 g de azúcar añadido, 0,13 g de sal.

Para presentar estos exquisitos cuadraditos de chocolate y pacana como postre, doblar las cantidades y servirlos con nata líquida.

Cuadraditos de chocolate con nueces

225 g de chocolate negro, troceado
100 g mantequilla, cortada en dados
85 g de azúcar extrafino
4 huevos grandes, separadas las claras de las yemas
85 g de almendras molidas
8 cucharadas de pan rallado
140 g de nueces de pacana partidas por la mitad

45-50 minutos, más el tiempo de enfriar • 12 porciones

1 Precalentar el horno a 180 °C. Engrasar y forrar un molde cuadrado. Fundir el chocolate y la mantequilla en el microondas, a temperatura máxima, 30 segundos. Remover y ponerlo otros 30 segundos, hasta que el chocolate esté derretido. Cuando esté frío pero todavía derretido, agregar la mitad del azúcar y las yemas de huevo.
2 Batir las claras a punto de nieve firme. Incorporar el azúcar restante y batir de nuevo hasta que esté lustroso. Poner 1 cucharada de las claras en el chocolate, las almendras y el pan rallado, e incorporar el resto con movimientos envolventes. Añadir las nueces y hornear 25-30 minutos. Dejar enfriar en el molde 10 minutos. Enfriar en una rejilla, cortar en cuadrados y servir.

• Cada cuadradito contiene: 347 kcal, 6 g de proteínas, 25 g de carbohidratos, 26 g de grasa, 9 g de grasas saturadas, 2 g de fibra, 20 g de azúcar añadido, 0,2 g de sal.

La ciruela aporta firmeza y suavidad a este brownie exquisito.

Brownies compactos de chocolate

140 g de chocolate negro (con 70 % de cacao), troceado
290 g de ciruelas en zumo de frutas, escurridas y deshuesadas
100 g de pan integral rallado
1 huevo grande
la clara de 2 huevos grandes
140 g de azúcar rubio extrafino
½ cucharadita de extracto de vainilla
2 cucharaditas de semillas variadas (opcional)
queso fresco para servir

1 hora, más el tiempo de enfriarse
• 9 porciones

1 Precalentar el horno a 180 °C. Engrasar y forrar un molde cuadrado. Fundir el chocolate al baño María. Dejar enfriar y procesar en un robot de cocina con el resto de ingredientes, excepto las semillas.

2 Verter la mezcla en el molde y añadir las semillas (si se utilizan). Cocer 35-40 minutos; comprobar que, al introducir un pincho en el centro, sale limpio. Dejar enfriar en el molde durante unos minutos y volcar en una rejilla para que se enfríe por completo. Cortar en 9 cuadrados y servir con queso fresco.

• Cada brownie contiene: 218 kcal, 4 g de proteínas, 41 g de carbohidratos, 5 g de grasa, 3 g de grasas saturadas, 1,5 g de fibra, 32 g de azúcar añadido, 0,3 g de sal.

En Estados Unidos, lo último en galletas es un delicioso pecado, repleto de chocolate y cacahuetes crujientes.

Galletas con trocitos de chocolate

300 g de chocolate negro (con 55 % de cacao)
100 g de chocolate con leche
100 g de azúcar mascabado claro
85 g de mantequilla a temperatura ambiente
100 g de mantequilla de cacahuete
1 huevo batido
½ cucharadita de extracto de vainilla
100 g de harina con levadura
100 g de cacahuetes salados, tostados

40-50 minutos, más el tiempo de enfriarse • 12 porciones

1 Precalentar el horno a 180 °C. Trocear 200 g de chocolate negro, y todo el chocolate con leche. Partir y fundir el chocolate negro restante, y batirlo con el azúcar, la mantequilla, la mantequilla de cacahuete, el huevo y la vainilla, hasta que esté unido. Incorporar la harina, los trozos de chocolate con leche, los cacahuetes y la mitad del chocolate negro troceado.
2 Con una cuchara grande, hacer 12 montones en dos o tres bandejas, con espacio para que se extiendan. Cubrirlos con el resto de chocolate negro. Cocer hasta que los bordes estén tostados, y el centro, suave. Dejarlas enfriar y solidificar en las bandejas, Enfriar en una rejilla.

• Cada galleta contiene: 381 kcal, 7 g de proteínas, 36 g de carbohidratos, 24 g de grasa, 10 g de grasas saturadas, 2 g de fibra, 27 g de azúcar añadido, 0,42 g de sal.

Un pastel tradicional del Reino Unido que combina muy bien con una taza de té en un frío día invernal.

Pastel de chocolate con malta

400 g de chocolate negro, troceado
175 g de mantequilla, cortada en dados
6 cucharadas de polvo de malta
3 huevos medianos
175 g de azúcar mascabado
2 cucharaditas de extracto de vainilla
140 g de harina integral con levadura
azúcar glasé para decorar

1 hora, más el tiempo de enfriarse
• 16 porciones

1 Precalentar el horno a 190 °C. Engrasar y forrar un molde cuadrado. Fundir 175 g de chocolate con la mantequilla al baño María.
2 Disolver el polvo de malta en 2 cucharadas de agua. Batir los huevos y el azúcar hasta que estén espesos y espumosos. Agregar el chocolate fundido, la vainilla y el polvo de malta.
3 Tamizar la harina, incorporar los granos del tamiz, agregar el resto de chocolate troceado y mezclar con movimientos envolventes. Verter en el molde y hornear, hasta que haya subido y esté firme. Dejar enfriar sobre una rejilla. Cortar el pastel en cuadrados, decorar con azúcar glasé y servir.

• Cada porción contiene: 335 kcal, 5 g de proteínas, 42 g de carbohidratos, 18 g de grasa, 11 g de grasas saturadas, 1 g de fibra, 34 g de azúcar añadido, 0,09 g de sal.

No hay nada parecido a este magnífico brownie, lleno de frutos secos y chocolate negro.

Brownie de chocolate denso

2 cucharadas de Nutella, y un poco más para servir
2 cucharadas de agua caliente
100 g de mantequilla ablandada
200 g de azúcar extrafino
2 huevos batidos
1 cucharadita de extracto de vainilla
90 g de harina con levadura
100 g de nueces o de pacanas troceadas
140 g de chocolate negro, troceado

1 hora, más el tiempo de enfriarse
• 12 brownies

1 Precalentar el horno a 160 °C. Engrasar ligeramente y forrar. Batir la Nutella con el agua caliente para conseguir una textura homogénea. Batir la mantequilla y el azúcar hasta obtener un color pálido. Incorporar la Nutella, los huevos y la vainilla hasta conseguir una masa uniforme. (Para ahorrar tiempo, usar un robot de cocina.)
2 Agregar con movimientos envolventes la harina, los frutos secos y 100 g del chocolate troceado, hasta que estén bien mezclados. Volcar en el molde y alisar la superficie. Cubrir con los trozos restantes de chocolate y cocer 40 minutos. Dejar que se enfríe en el molde y cortar 12 cuadrados. Servir cubierto con Nutella.

• Cada brownie contiene: 296 kcal, 4 g de proteínas, 33 g de carbohidratos, 18 g de grasa, 7 g de grasas saturadas, 1 g de fibra, 24 g de azúcar añadido, 0,26 g de sal.

Barritas de chocolate con leche y frutos secos, ideales como postre o para acompañar el café.

Barritas crujientes de chocolate y frutos secos

225 g de avena
25 g de coco seco
140 g de mantequilla, cortada en trozos
50 g de azúcar mascabado claro
5 cucharadas de almíbar dorado
100 g de nueces de macadamia (o anacardos), cortados en trozos
50 g de almendras, cortadas en trozos
85 g de chocolate negro de buena calidad, cortado en trozos grandes

45 minutos • 12 barritas

1 Precalentar el horno a 180 °C. Engrasar y forrar la base de un molde cuadrado. Mezclar la avena y el coco.
2 Fundir la mantequilla, el azúcar y el almíbar a fuego suave, sin dejar de remover. Retirar del fuego y agregar la mezcla de avena y coco. Volcar sobre el molde y prensar uniformemente. Añadir los frutos secos, presionar sobre la mezcla y poner los trozos de chocolate entre los frutos secos. Hornear hasta que adquiera un color dorado pálido.
3 Aún caliente, marcar con un cuchillo cortes cuadrados o rectangulares y, una vez frías, cortar las barritas y desmoldarlas.

• Cada barrita contiene: 325 kcal, 5 g de proteínas, 28 g de carbohidratos, 22 g de grasa, 10 g de grasas saturadas, 2 g de fibra, 15 g de azúcar añadido, 0,3 g de sal.

Magdalenas suaves y ligeras, cubiertas con natilla de chocolate caliente.

Magdalenas con natillas de chocolate

1 cucharada de cacao en polvo
100 g de harina con levadura
½ cd de gasificante para bollería
50 g de azúcar rubio extrafino
100 ml de leche desnatada
1 huevo grande
2 cucharadas de aceite de girasol

PARA LAS NATILLAS
300 g de natillas, envasadas, bajas en calorías
25 g de chocolate negro troceado

30 minutos • 6 magdalenas

1 Precalentar el horno a 170 °C. Engrasar cada una de las 6 secciones de un molde de magdalenas con una gota de aceite. Tamizar el cacao, añadir el resto de ingredientes secos y remover para mezclar. Abrir un hueco en el centro.
2 Batir la leche, los huevos y el aceite, verter dentro del hueco y remover hasta conseguir una masa. Volcar sobre los espacios del molde, y hornear hasta que la masa haya subido y esté firme al tacto.
3 Calentar las natillas según las instrucciones del envase, incorporar el chocolate troceado y remover hasta que esté homogéneo. Servir los magdalenas y cubrir con la natilla.

• Cada magdalena contiene: 215 kcal, 5 g de proteínas, 32 g de carbohidratos, 8 g de grasa, 2 g de grasas saturadas, 1 g de fibra, 17 g de azúcar añadido, 0,59 g de sal.

Una irresistible combinación de sabores, que está aún mejor si se sirve templada y con crema o helado.

Melocotones con chocolate y almendras

- 4 melocotones grandes maduros
- 2 naranjas
- 3 cucharadas de marsala, madeira o jerez
- 50 g de mantequilla ablandada
- 50 g de azúcar rubio extrafino
- 50 g de almendras molidas
- 1 huevo grande batido
- 25 g de chocolate negro troceado
- 2 cucharadas de almendras laminadas
- nata líquida o helado de vainilla para servir

1 hora • 4 raciones (es sencillo doblar las proporciones)

1 Precalentar el horno a 180 °C. Partir los melocotones por la mitad y retirarles el hueso. Sacar un poco de pulpa del centro y trocearla. Rallar la corteza de una naranja y mezclarla con la pulpa troceada. Exprimir el zumo de las naranjas y mezclarlo con el licor.

2 Batir la mantequilla y el azúcar 3 minutos, hasta que la mezcla esté ligera y suave. Incorporar las almendras, el huevo, la pulpa del melocotón, la corteza de la naranja y el chocolate.

3 Poner los melocotones en una bandeja con la parte cortada hacia arriba. Rellenar cada mitad con la mezcla, repartir las almendras laminadas y rociar el zumo con licor.

4 Hornear hasta que la fruta esté tierna, y el relleno, un poco dorado.

• Cada ración contiene: 399 kcal, 8 g de proteínas, 35 g de carbohidratos, 25 g de grasa, 9 g de grasas saturadas, 5 g de fibra, 17 g de azúcar añadido, 0,31 g de sal.

La naranja aporta a los pasteles esponjosidad y acidez; pero si, además, se sirve con cacao en polvo y helado de vainilla, será una delicia.

Pastel de chocolate y naranja con piel

1 naranja de unos 225 g, partida por la mitad y sin semillas
100 g de harina con levadura
1 cucharadita de levadura
1 cucharadita de canela molida
1 cucharadita de cilantro molido
2 cucharaditas de cacao en polvo
100 g de almendras ralladas
175 g de mantequilla ablandada
175 g de azúcar mascabado ligero
4 huevos grandes, separadas las claras de las yemas
helado de vainilla para servir

2 horas 15 minutos, más el tiempo de enfriarse • 12 porciones

1 Hervir 1 hora la naranja a fuego lento, parcialmente tapada, escurrir y dejar enfriar.
2 Precalentar el horno a 180 °C. Engrasar y forrar un molde redondo.
3 Trocear la naranja (sin quitarle la piel). Procesarla en un robot de cocina hasta obtener un puré áspero. Tamizar la harina, la levadura, las especias y el cacao en polvo, y añadir las almendras.
4 Batir la mantequilla y el azúcar hasta que la mezcla esté suave. Agregar las yemas de huevo y el puré de naranja y batir, incorporar la mezcla de la harina y remover con movimientos envolventes. Batir las claras a punto de nieve y agregarlas a la masa en dos tandas.
5 Poner en el molde y cocer hasta que esté firme. Dejar enfriar 5 minutos, desmoldar y servir tibio, con helado.

• Cada porción contiene: 285 kcal, 5 g de proteínas, 24 g de carbohidratos, 19 g de grasa, 9 g de grasas saturadas, 1 g de fibra, 16 g de azúcar añadido, 0,52 g de sal.

Con este postre descubrirás el paraíso, pues es una delicia contundente y sublime.

Delicioso pudin de chocolate

100 g de mantequilla, cortada en dados
2 cucharadas de almíbar dorado
100 g de azúcar mascabado moreno
150 ml de leche
1 huevo (grande o mediano) batido
1 cucharada de cacao en polvo
225 g de harina con levadura
1 cucharadita de canela molida
¼ de cucharadita de bicarbonato de soda

PARA LA SALSA
100 g de chocolate negro, troceado
4 cucharadas de leche
4 cucharadas de nata líquida
1 cucharada de almíbar dorado

1 hora 30 minutos • 6 porciones

1 Engrasar y forrar la base de un molde con papel untado de mantequilla.
2 Fundir la mantequilla con el almíbar y el azúcar. Retirar del fuego y verter la leche y el huevo. Añadir a la harina el cacao en polvo y ponerlo en la cazuela con la canela y el gasificante.
3 Volcar la mezcla en el molde, cubrir bien con papel de aluminio y cocer al baño María durante 1 hora 15 minutos. Calentar los ingredientes de la salsa sin dejar de remover hasta que se hayan fundido.
4 Desmoldar el pudin (aflojar los bordes con un cuchillo, si es necesario) y retirar el papel. Cubrir con la salsa y servir de inmediato.

• Cada porción contiene: 485 kcal, 6,5 g de proteínas, 62,2 g de carbohidratos, 25 g de grasa, 14,7 g de grasas saturadas, 1,7 g de fibra, 35,9 g de azúcar añadido, 0,86 g de sal.

Una sofisticada y curiosa variación del pudin de pan y mantequilla.

Pudin de cruasán de chocolate

4 cruasanes
100 g de chocolate negro, troceado
150 ml de nata líquida
300 ml de leche
4 cucharadas de ron añejo o coñac
100 g de azúcar extrafino
85 g de mantequilla
una pizca de canela molida
3 huevos grandes

PARA SERVIR
azúcar glasé para espolvorear
nata líquida

50-55 minutos, más el tiempo de asentarse • 6 raciones

1 Precalentar el horno a 180 °C. Engrasar una fuente para gratinar. Cortar con las tijeras los cruasanes en tiras y repartirlos sobre el recipiente.
2 Calentar al baño María el resto de ingredientes, salvo los huevos, sin dejar de remover hasta que el chocolate se haya fundido.
3 Batir los huevos, verter la mezcla de chocolate y batir con energía, hasta que esté bien mezclado. Cubrir los cruasanes y chafarlos con un tenedor. Dejar reposar 10 minutos.
4 Cocer el pudin durante 30-35 minutos, hasta que la superficie esté crujiente, y el interior, suave y compacto. Dejar reposar 10 minutos, espolvorear el cacao y servir con la nata.

• Cada porción contiene: 577 kcal, 9 g de proteínas, 44 g de carbohidratos, 39 g de grasa, 21 g de grasas saturadas, 1 g de fibra, 27 g de azúcar añadido, 0,78 g de sal.

Para obtener un postre espectacular, probar esta exquisita combinación de chocolate suave y nueces crujientes.

Fondant de chocolate con nueces de pacana

cacao en polvo, para decorar
150 g de chocolate negro (con 50 % de cacao sólido), troceado
50 g de mantequilla, cortada en dados
1 huevo grande batido
2 cucharadas de harina
2 cucharadas de nueces de pacana tostadas y troceadas
1 cucharada de azúcar rubio extrafino
una pizca de sal
helado para servir

40 minutos • 2 raciones

1 Precalentar el horno a 220 °C. Engrasar dos moldes de pudin y espolvorearlos con abundante cacao en polvo.
2 Fundir el chocolate con el azúcar hasta conseguir una mezcla uniforme. Agregar poco a poco el huevo e incorporar la harina, los frutos secos, el azúcar y la sal. Mezclar todos los ingredientes.
3 Dividir entre los dos moldes. (Se puede dejar un día en el refrigerador.) Hornear 15 minutos; si está frío, 18. Desmoldar platos de postre y servir junto con el helado. La fondant debe quedar cocida por fuera y derretida por dentro.

• Cada porción contiene: 847 kcal, 12 g de proteínas, 56 g de carbohidratos, 65 g de grasa, 32 g de grasas saturadas, 6 g de fibra, 30 g de azúcar añadido, 0,54 g de sal.

Un tradicional pudin británico: ideal para saborearlo después de un asado invernal.

Pudin compacto chocolateado

100 g mantequilla ablandada
175 g de azúcar mascabado moreno
3 huevos grandes batidos
225 g de harina con levadura
150 ml de leche
1 cucharadita de canela molida
140 g de dátiles secos troceados
85 g de chocolate negro, troceado
50 g de nueces de pacana, partidas por la mitad
nata líquida para servir

PARA LA SALSA
175 g de mantequilla, cortada en dados
175 g de sirope dorado
2 cucharadas de azúcar mascabado moreno

40 minutos • 8 porciones

1 Engrasar un molde de pudin. Unir la mantequilla, el azúcar, los huevos, la harina, la leche y la canela, y batir hasta que la mezcla esté ligera y esponjosa. Agregar los dátiles, el chocolate y las nueces, verter en el molde y sellar bien con film.
2 Agujerear un par de veces el plástico y colocar en el microondas a temperatura media, hasta que esté firme al tacto. Al introducir un palillo en el centro del pudin, este tiene que salir limpio, a excepción de los rastros de chocolate fundido. Dejar reposar 5 minutos.
3 Calentar los ingredientes de la salsa, llevar a ebullición y remover para fundir la mantequilla. Hervir a fuego lento 1-2 minutos hasta caramelizar.
4 Desmoldar y cubrir con la salsa. Servir con la nata y la salsa restante.

• Cada porción contiene: 693 kcal, 7 g de proteínas, 85 g de carbohidratos, 39 g de grasa, 21 g de grasas saturadas, 2 g de fibra, 52 g de azúcar añadido, 1,14 g de sal.

Si añades una cucharada de coco, aportarás
a este pastel de chocolate un cremoso sabor a nueces.

Pudin mágico de chocolate con nueces

PARA EL BIZCOCHO
150 g de mantequilla a temperatura ambiente
3 huevos
150 g de azúcar extrafino
100 g harina con levadura
25 g de cacao en polvo
1 cucharadita de levadura
una pizca de sal
50 g de coco cremoso rallado
85 g de chocolate negro, troceado
azúcar glasé para servir

PARA LA SALSA
25 g de cacao en polvo
4 cucharadas de agua hirviendo
85 g de azúcar extrafino
400 ml de leche de coco

1 hora • 6 raciones

1 Precalentar el horno a 180 °C. Engrasar un molde poco profundo y colocarlo en una bandeja.
2 En un robot de cocina, batir todos los ingredientes esponjosos, salvo el chocolate, durante 2 minutos. Añadir el chocolate, volcar la mezcla en el molde y nivelar.
3 Para la salsa, mezclar el cacao con el agua. Agregar poco a poco el azúcar y la leche de coco. Verter sobre el pudin y cocer hasta que esté esponjoso al tacto. Transcurridos 5 minutos, tamizar por encima el azúcar glasé y estará listo para servir.

• Cada porción contiene: 609 kcal, 8 g de proteínas, 69 g de carbohidratos, 35 g de grasa, 22 g de grasas saturadas, 3 g de fibra, 41 g de azúcar añadido, 1,55 g de sal.

Para tener la conciencia tranquila, se recomienda acompañar el pudin con yogur natural o nata fresca descremada en vez de nata líquida.

Pastel de brownie de chocolate

100 g de mantequilla
175 g de azúcar extrafino
75 g de azúcar mascabado moreno o claro
125 g de chocolate (negro o con leche), troceado
1 cucharada de almíbar dorado
2 huevos grandes batidos
1 cucharadita de extracto de vainilla
100 g de harina
½ cucharadita de levadura
2 cucharadas de cacao en polvo
fruta fresca y nata líquida para servir

1 hora • 6-8 raciones

1 Precalentar el horno a 180 °C. Engrasar y forrar un molde redondo.
2 Fundir la mantequilla, el azúcar extrafino y el moreno, el chocolate y el almíbar a fuego suave, hasta que esté uniforme. Retirar del fuego, añadir los huevos, la vainilla, la harina, la levadura y el cacao, y mezclar bien.
3 Verter en el molde y cocer 25-30 minutos. Dejar enfriar 10 minutos en el molde, cortar en porciones y servir tibio, decorado con fruta fresca y nata.

• Si se corta en 6 porciones, cada una contiene:
504 kcal, 5,3 g de proteínas, 73,7 g de carbohidratos, 22,9 g de grasa, 13 g de grasas saturadas, 1,4 g de fibra, 59,4 g de azúcar añadido, 0,5 g de sal.

En algunas ocasiones, cuando se habla de chocolate, la clave está en la sencillez. Este lujoso pudin de chocolate no necesita decoración.

Pudines con chocolate derretido

140 g de chocolate negro, troceado
140 g de mantequilla sin sal, cortada en dados
3 huevos grandes
la yema de 3 huevos grandes
85 g de azúcar rubio extrafino
25 g de harina
helado de vainilla o nata líquida, para servir

35 minutos • 6 raciones

1 Precalentar el horno a 180 °C. Engrasar seis moldes «dariole» y colocarlos en una bandeja. Fundir el chocolate y la mantequilla al baño María (o en el microondas, a temperatura alta, durante 3 minutos).

2 Batir los huevos, las yemas y el azúcar con un robot de cocina, hasta que adquieran un color claro. Con el robot a velocidad media, batir el chocolate fundido. Verter delicadamente la harina, mezclar con movimientos envolventes y rellenar los moldes. Hornear hasta que la masa haya subido, pero la parte superior esté plana y no del todo firme. Aflojar los bordes con un cuchillo de hoja redonda y desmoldar. Servir con helado o con nata.

• Cada porción contiene: 440 kcal, 7 g de proteínas, 36 g de carbohidratos, 31 g de grasa, 17 g de grasas saturadas, 1 g de fibra, 29 g de azúcar añadido, 0,11 g de sal.

Para hacer este postre, sirve cualquier fruta seca o glaseada; pero, si desea impresionar, asegúrese de que haya varios colores.

Círculos tutti-frutti

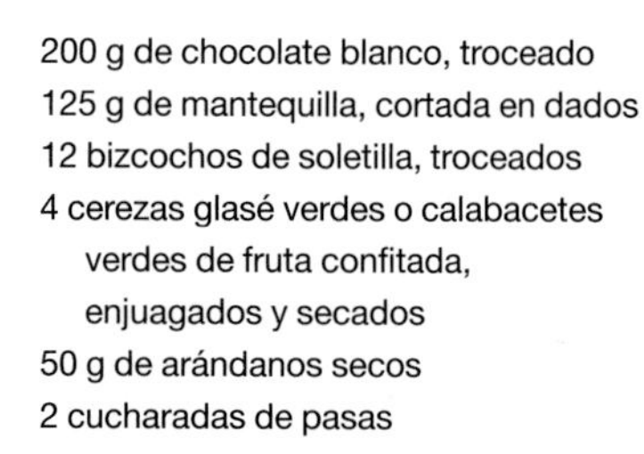

200 g de chocolate blanco, troceado
125 g de mantequilla, cortada en dados
12 bizcochos de soletilla, troceados
4 cerezas glasé verdes o calabacetes verdes de fruta confitada, enjuagados y secados
50 g de arándanos secos
2 cucharadas de pasas

20-30 minutos, más el tiempo de refrigerarlo • 32 círculos

1 Fundir el chocolate y la mantequilla. Dejar enfriar y remover una o dos veces.
2 Poner las galletas en una bolsa plástica y aplastarlas un poco con un rodillo.
3 Cortar las cerezas o los calabacetes en trozos del tamaño de los arándanos y las pasas. Agregar las galletas y las frutas en el chocolate fundido, y refrigerar hasta que casi esté sólido.
4 Colocar la mitad de la mezcla en un film y hacer un rollo alargado. Envolverlo y darle forma de salchicha. Repetir con el resto de la mezcla. Refrigerar toda la noche para que coja cuerpo. Desenvolver y, con un cuchillo con hoja de sierra, cortar cada pieza en 16 círculos.

• Cada círculo contiene: 76 kcal, 1 g de proteínas, 7 g de carbohidratos, 5 g de grasa, 2 g de grasas saturadas, 0 g de fibra, 3 g de azúcar añadido, 0,11 g de sal.

Para preparar la versión infantil, suprimir el café y utilizar chocolate en lugar de helado de vainilla.

Helado refrescante de moca

1 medida de café expreso frío
o 2 cucharadas de café solo frío
200 ml de leche entera, fría
3 bolas de helado de vainilla
o de chocolate
2 cubitos de hielo
1 brownie de chocolate o una galleta
con trozos de chocolate

10 minutos • 1 ración

1 Verter el café y la leche en la batidora. Añadir 2 bolas de helado y los cubitos de hielo, y batir hasta conseguir la consistencia de un batido. Verterlo en un vaso largo.
2 Decorar con la tercera bola de vainilla y desmenuzar el brownie o la galleta.

• Cada ración contiene: 575 kcal, 14 g de proteínas, 66 g de carbohidratos, 30 g de grasa, 19 g de grasas saturadas, 1 g de fibra, 36 g de azúcar añadido, 0,70 g de sal.

Las trufas caseras son un regalo original y delicioso, y se pueden refrigerar durante 3 días.

Trufas de chocolate

300 ml de nata líquida
50 g de mantequilla, cortada en dados
280 g de chocolate negro (con 70 % de cacao), troceado

ADEREZOS
bourbon
licor de naranja
ron de coco
la corteza y el zumo de 1 naranja

REBOZADOS
pistachos machacados sin cáscara
coco seco ligeramente tostado
cacao en polvo
chocolate negro, con leche o blanco

35 minutos, más el tiempo de enfriarse y refrigerarlo • 50 trufas

1 Llevar la nata a punto de ebullición y fundir la mantequilla. Añadir el chocolate y remover hasta que esté homogéneo. Dejar la mezcla tal cual, o dividirla en moldes y añadir el licor elegido, cucharadita a cucharadita. Dejar enfriar y refrigerar 4 horas.
2 Para dar forma a las trufas, untarse las manos con un poco de aceite de girasol, tomar una cucharada de la mezcla de chocolate y formar las bolas.
3 Rebozar con el pistacho, el coco o el cacao. Se pueden cubrir las trufas de chocolate, introduciéndolas en el chocolate fundido.
4 Colocarlas en papel de horno hasta que estén firmes y refrigerarlas en un recipiente hermético.

• Cada trufa contiene: 67 kcal, 1 g de proteínas, 3 g de carbohidratos, 6 g de grasa, 3 g de grasas saturadas, 0 g de fibra, 2 g de azúcar añadido, 0 g de sal.

Una bebida muy reconfortante en un día frío o después de una caminata invernal, ya en casa y estirado en el sofá.

Chocolate caliente de lujo

600 ml de leche
150 ml de nata líquida
100 g de chocolate troceado (con 70 % de cacao sólido o de chocolate con leche, según el gusto)
2-3 cucharadas de coñac (opcional)

PARA SERVIR
nubes pequeñas
un poco de chocolate rallado

10 minutos • 4 personas

1 Unir la leche y la nata, y agregar el chocolate elegido. Llevar a ebullición, sin dejar de remover hasta que esté uniforme. Añadir el coñac (si se utiliza) y batir.
2 Servir en tazas individuales decorado con nubes pequeñas y chocolate rallado.

• Cada ración contiene: 437 kcal, 8 g de proteínas, 29 g de carbohidratos, 33 g de grasa, 18 g de grasas saturadas, 2 g de fibra, 13 g de azúcar añadido, 0,19 g de sal.

Una receta muy sencilla de elaborar; para presentarla como postre, colocar barquillos de helado en un recipiente.

Barquillos crujientes

2 bolas grandes de helado de chocolate
2 barras de caramelo y chocolate muy suave
un puñado de nubes pequeñas
un puñado de almendras tostadas
4 barquillos de helado

10 minutos, más el tiempo de ablandarse • 4 cucuruchos

1 Ablandar el helado en el frigorífico durante unos 20 minutos y batirlo hasta que esté medio derretido. Trocear las barras.

2 Mezclar las barras, las nubes y las almendras tostadas con el helado, poner la mezcla en un recipiente hermético y congelar hasta que esté firme. Rellenar los barquillos y servir.

• Cada ración contiene: 326 kcal, 5 g de proteínas, 51,1 g de carbohidratos, 12,8 g de grasa, 5,8 g de grasas saturadas, 0,6 g de fibra, 45,5 g de azúcar añadido, 0,22 g de sal.

Estas trufas muy sencillas de preparar son un regalo magnífico para Semana Santa, Navidad u otro momento especial.

Trufas de galleta y chocolate

150 g de chocolate blanco, troceado
150 g de chocolate negro, troceado
50 g de mantequilla, cortada en dados
150 ml de nata líquida
4 galletas desmenuzadas
85 g de frutas secas como albaricoques o arándanos, troceadas
la corteza rallada de 1 naranja grande
azúcar glasé y cacao en polvo para rebozar

25 minutos, más el tiempo de enfriarse y refrigerarlo • 30 trufas

1 Colocar el chocolate blanco y el negro en diferentes vasijas, y dividir la mantequilla. Escaldar la nata y repartirla entre las dos vasijas. Dejar reposar 1 minuto, agitar hasta que la mezcla esté fundida y uniforme, y dejar enfriar.

2 Distribuir las galletas, las frutas y la corteza de naranja en los boles, remover y luego refrigerar 4 horas como mínimo, hasta que la mezcla esté firme.

3 Tomar 1 cucharada de la mezcla de chocolate y formar una bola con una cucharilla. Tamizar azúcar glasé en un plato y rebozar las trufas con chocolate blanco. Realizar la misma operación con el cacao y las trufas de chocolate negro. Por último, refrigerar el tiempo que se considere oportuno, hasta un máximo de 24 horas.

• Cada trufa contiene: 118 kcal, 1 g de proteínas, 12 g de carbohidratos, 8 g de grasa, 5 g de grasas saturadas, 1 g de fibra, 10 g de azúcar añadido, 0,04 g de sal.

Para añadir un sabor especiado, remover la bebida con una rama de canela y no retirarla de la taza mientras se saborea.

Chocolate caliente especiado

600 ml de leche
85 g de chocolate negro
canela molida para espolvorear

10 minutos • 4 raciones

1 Verter la leche en una cazuela, trocear el chocolate y calentar a fuego suave, removiendo de vez en cuando, hasta que el chocolate se haya disuelto. Espolvorear un poco de canela.
2 Retirar el chocolate del fuego, mezclarlo con una batidora de mano hasta que esté espumoso y verterlo en tazas o vasos de té.

• Cada ración contiene: 179 kcal, 6 g de proteínas, 21 g de carbohidratos, 9 g de grasa, 5 g de grasas saturadas, 1 g de fibra, 13 g de azúcar añadido, 0,17 g de sal.

Si no se dispone de microondas, el chocolate y la mantequilla pueden fundirse al baño María casi en el mismo tiempo.

Salami de chocolate

250 g de chocolate, troceado
100 g de mantequilla, cortada en dados
3 cucharadas de miel clara
100 g de almendras molidas
100 g de albaricoques deshidratados, troceados
50 g de frutos secos, tostados y troceados
225 g de galletas amaretti muy aplastadas

20 minutos, más el tiempo de refrigerarlo
• 25 rodajas

1 Fundir el chocolate, mantequilla y miel en el microondas a temperatura media 3-4 minutos. Remover hasta que esté uniforme y añadir las almendras, albaricoques, frutos secos y tres cuartas partes de las galletas. Dejar enfriar y refrigerar 1-2 horas, hasta que tenga cuerpo.
2 Colocar la mezcla de chocolate en una hoja de papel de horno, envolver y dar forma de salchicha de unos 25 cm. Refrigerar 30 minutos.
3 Repartir el resto de galleta sobre otra hoja de papel de horno. Desenvolver la salchicha y rebozarla con la galleta, de modo que quede cubierta. Envolverla de nuevo con el mismo papel y cubrirla bien con film, dejando bien sellados los extremos. Refrigerar hasta que tenga cuerpo.
4 Desenvolver, cortar con un cuchillo afilado 25 rodajas finas y servir.

• Cada rodaja contiene: 166 kcal, 2,6 g de proteínas, 16,7 g de carbohidratos, 10,3 g de grasa, 4,3 g de grasas saturadas, 1,1 g de fibra, 12,2 g de azúcar añadido, 0,17 g de sal.

Servir estos cócteles, rápidos de preparar, como colofón de una cena.

Cócteles de moca

150 ml de nata líquida
5 cucharadas de crema de licor (Baileys, por ejemplo)
125 ml de café solo frío
4 cucharadas de vodka
4 cucharadas de licor de café tipo Tía María o Kahlúa

PARA SERVIR
granos de café para decorar
biscotes de almendras o de chocolate

15 minutos • 4 cócteles

1 Batir la nata hasta que haya crecido un poco, añadir la crema de licor y batir un poco más; si es necesario, aclarar con un poco de agua para conseguir una consistencia con cuerpo y cremosa.
2 Dividir el café, el vodka y el licor de café en cuatro vasos. Con una cuchara, repartir delicadamente la nata por encima y decorar con unos granos de café. Servir al momento con biscotes.

• Cada cóctel contiene: 360 kcal, 1 g de proteínas, 11 g de carbohidratos, 27 g de grasa, 11 g de grasas saturadas, 0 g de fibra, 11 g de azúcar añadido, 0,12 g de sal.

Índice

Créditos de fotografías y recetas

BBC Worldwide quiere expresar su agradecimiento a las siguientes personas por haber proporcionado las fotografías que ilustran este libro. Aunque nos hemos esforzado al máximo por investigar la procedencia de todas ellas, queremos pedir disculpas a sus autores por los errores u omisiones que pueda haber.

Marie-Louise Avery p. 57, p. 69, p. 77, p. 137, p. 189, p. 195; Iain Bagwell p. 71, p. 93; Steve Baxter p. 65, p. 121, p. 123, p. 151; Martin Brigdale p. 135; Linda Burgess p. 37, p. 63, p. 81, p. 83, p. 129; Peter Cassidy p. 47, p. 103, p. 113, p. 119, p. 149, p. 203, p. 207; Jean Cazals p. 35, p. 45, p. 101, p. 139, p. 185, p. 193, p. 209; Gus Filgate p. 43, p. 153; Will Heap p. 145, p. 163; Dave King p. 95; Lisa Linder p. 23; William Lingwood p. 15, p. 197; Tim Macpherson p. 205; Gareth Morgans p. 17, p. 29, p. 97, p. 159, p. 175; David Munns p. 11, p. 33, p. 61, p. 109, p. 127, p. 181, p. 191, p. 211; Myles New p. 39, p. 55, p. 141, p. 147, p. 199; Lis Parsons p. 111; Michael Paul p. 167; William Reavell p. 161; Craig Robertson p. 53, p. 105; Roger Stowell p. 49, p. 51, p. 67, p. 73, p. 87, p. 183; Debi Treloar p. 179; Ian Wallace p. 107; Cameron Watt p. 79; Philip Webb p. 21, p. 25, p. 31, p. 75, p. 91, p. 125, p. 131, p. 157, p. 173; Simon Wheeler p. 13, p. 15, p. 19, p. 59, p. 143, p. 155, p. 177; Geoff Wilkinson p. 41, p. 99, p. 115; Tim Young p. 89; Elizabeth Zeschin p. 27, p. 133, p. 201

Todas las recetas de este libro han sido creadas por el equipo editorial de *BBC Good Food Magazine*:

Lorna Brash, Sara Buenfeld, Mary Cadogan, Barney Desmazery, Jane Hornby, Emma Lewis, Kate Moseley, Orlando Murrin, Vicky